キノの旅

— the Beautiful World —

時雨沢 恵一
KEIICHI SIGSAWA
イラスト：黒星紅白
ILLUSTRATION : KOUHAKU KUROBOSHI

第一話

「人の痛みが分かる国」

— I See You. —

14

第二話
「多数決の国」
— Ourselfish —
46

第四話
「コロシアム」
— Avengers —
98

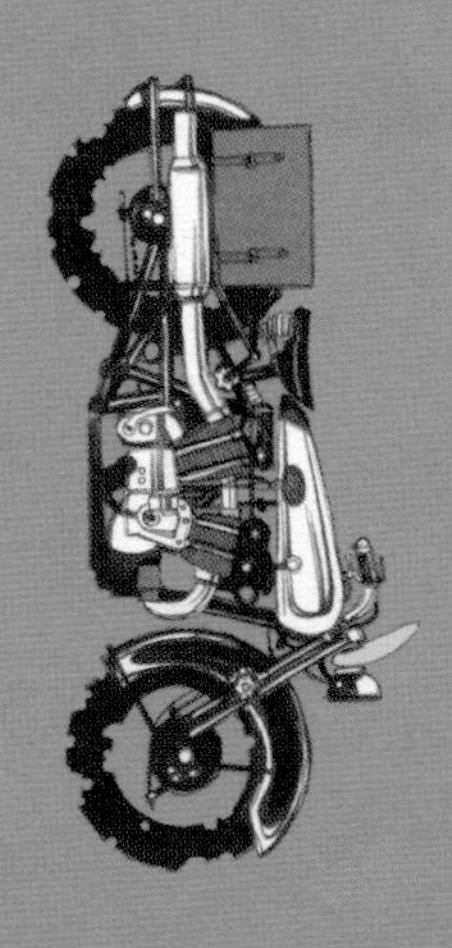

第五話
「大人の国」
— Natural Rights —
166

第六話
「平和な国」
— Mother's Love —
200

プロローグ
「森の中で・b」
—Lost in the Forest・b—
11
エピローグ
「森の中で・a」
— Lost in the Forest・a —
233

世界は美しくなんかない。そしてそれ故に、美しい

— The world is not beautiful. Therefore, it is. —

カバー・口絵・本文デザイン／鎌部善彦

プロローグ「森の中で・b」
—Lost in the Forest・b—

そして暗闇が生まれた。

まったく光のない。

月も星も見えない。

緩やかな風で森がざわめく音だけが、闇を飾るように聞こえてくる。

「そうだなあ……。なんとなく、だけれどね……」

ふいに人間の話す声が聞こえた。少年のような、そして少し高い声だ。

「なんとなく、だけれど？」

別の声が発言を促すように聞いた。さらに若い感じのする、男の子のような声だった。

ほんの少し静寂があって、最初に聞こえた声が静かに語り出した。まるで自分に言い聞かすような、誰もいないところへ向かって喋るような口調だった。

「ボクはね、たまに自分がどうしようもない、愚かで矮小な奴ではないか？　ものすごく汚い人間ではないか？　なぜだかよく分からないけど、そう感じる時があるんだ。そうとしか思えない時があるんだ……。でもそんな時は必ず、それ以外のもの、たとえば世界とか、他の人間の生き方とかが、全て美しく、すてきなもののように感じるんだ。とても、愛しく思えるんだよ……。ボクは、それらをもっともっと知りたくて、そのために旅をしているような気がする」

それからほんの少しだけ間をおいて、こう続けた。

「辛いことや悲しいことは、ボクが旅をしている以上必ず、行く先々にたくさん転がっているものだと思ってる」

「ふーん」

「だからといって、旅を止めようとは思わない。それをしてるのは楽しいし、たとえば人を殺める必要があっても、それを続けたいと思えるしね。それに」

「それに？」

「止めるのは、いつだってできる。だから、続けようと思う」

最初の声は、きっぱり言った。そして訊ねた。

「納得したかい？」

「正直言って、よく分からないや」

別の声が答えた。

「それでもいいと思うよ」

「そう？」

「ボク自身も、ひょっとしたらよく分かってないのかもしれない。迷ってるのかもしれない。そしてそれをもっと分かるために、旅を続けてるのかもしれない」

「ふーん」

「さてと。ボクは寝るよ。明日はまただいぶ走らなくちゃ。……おやすみエルメス」

「おやすみ、キノ」

暗闇に、がさごそと厚い布が擦れ合う音が聞こえ、やがて止んだ。

第一話
「人の痛みが分かる国」
— I See You. —

第一話「人の痛みが分かる国」
—I See You.—

緑の海の中に、茶色の線が延びていた。

それは土を簡単に固めただけの道で、西へ向かってまっすぐ走っていた。辺り一面には膝ほどの高さの草が、風の通り抜けるさまを示すように、緩やかに波打っていた。近くにも遠くにも、木は一本も見えない。

道の真ん中を、一台のモトラド（注・二輪車。空を飛ばないものだけを指す）が走っていた。後部にあるキャリアには、薄汚れた鞄がくくりつけられている。

モトラドはエンジン音を響かせながら、かなりのスピードで走っているが、たまに左右にぐらつく。そのたびに運転手はあわててハンドルを切り、体を傾け、進路の修正をした。

運転手の体軀は細い。黒いジャケットを着て、腰を太いベルトで締めていた。ベルトにはポーチがいくつかついて、後ろにはハンド・パースエイダー（注・パースエイダーは銃器。この場合は拳銃）のホルスターをつけている。その中には自動作動式パースエイダーが一丁、グリップを上にして入っていた。

右腿にはもう一丁、リヴォルバータイプのハンド・パースエイダーがホルスターに収まっている。抜け落ちないように、ハンマーがホルスターから短く伸びた紐を噛んでいた。

帽子は飛行帽のような、前だけに鍔がついたもので、防寒用に耳を覆うたれがついていた。たれはゴーグルのバンドで押さえつけられ、あまりが風でバタバタと暴れている。代わりに帽子本体が風圧ですっ飛んでいくのを防いでいた。

ゴーグルの下の表情は若い。目の大きな、整った精悍な顔つきだが、今はどことなく疲れた顔をしていた。

モトラドが運転手に言った。

「まったくもって、キノが何を考えているのか分からないよ。食べる物があるんだから、食べればいいのに」

キノと呼ばれた運転手はこう言い返した。

「せっかく町が見えるのに、携帯食料なんて食べられないよ」

彼らの進む道の先には、町の外壁がぼんやり見えていた。

「それに保存食は最後に食べるための物だ」

その瞬間、前輪が路面のでこぼこにはじかれてバランスを崩しかけ、再びモトラドがぐらついた。キノがあわてて直す。

「うわあ!」

「ごめん、エルメス」

キノはさすがに少し速度を落とした。エルメスと呼ばれたモトラドがぼやく。

「まったく。それにあの国に食べ物があるとはかぎらないよ。人間が一人もいなかったら、どうするつもり?」

「そうだな、その時は……」

「その時は?」

「その時さ」


外壁の前までたどり着いて、キノはエルメスを停止させた。高い城壁の前には堀があり、跳ね上げ式の橋があった。

キノはその橋の手前にある小さな建物に目をつけ、エルメスからおりようとした。途端(とたん)にエルメスがぐらついて、キノは自分がサイドスタンドを出していないことに気がついた。エルメスを支えようとして力が入らず、そのまま左側に倒れた。

「ああ、なんてこったい! キノともあろうお方が立ちゴケをするとは。はい、さっさと起こす起こす!」

横になったエルメスが心底呆(あき)れた様子(ようす)で言う。キノはエルメスをすぐに起こそうとしたが、その動きが途中で止まってしまった。

「ちょいと？」

エルメスが聞く。キノは蚊の鳴くような声で答えた。

「お腹がすいて、力が入らない……」

「だから昼に食べればよかったのに……。いいかいキノ、何度も言うけれどモトラドの運転はスポーツなんだ。自転車ほどではないにしろ、ただ走っているだけでかなりのエネルギーを消耗する。やがて自分でも分からないうちに力が入らなくなって、さらに頭も回らなくなる。そうなると、普段はできるとっさの対応ができなくなるんだよ。その結果簡単なミスが事故につながり……。ちょっと？　キノ、聞いてる？」

その建物の中には誰もいなかった。

代わりに大きな自動販売機のような機械が置いてあった。それはキノが入ると同時に作動し、いくつかの簡単な質問をして、あっという間に入国の許可を出した。橋がおりてきた。

「ずいぶんと早かったね」

戻ってきたキノに、サイドスタンドで立っているエルメスが聞いた。

「変だな」

キノはエルメスに跨ると、エンジンをかけた。

「何がさ？」

「あの中に人間が一人もいなかった。機械だけ」

キノはエルメスを発進させ、橋を渡っていく。

「町に入っても、誰も見かけなかったりして」

エルメスがおどけた調子で言った。

そしてそのとおりになった。


「食べた？」

「食べた」

キノは満足そうに答えながら、建物の前に止めたエルメスに戻ってきた。

「誰か、いた？」

「誰も」

キノは短くそう言って、エルメスに跨った。そして辺りを見回した。

太い舗装道路が一本あり、その両脇に平屋の建物がいくつも建っていた。今キノが出てきた建物には『レストラン』と看板が出ていた。

通りには広い歩道もあり、街灯と街路樹が規則的に並んでいた。少し先に十字路があって、信号機もある。道はまっすぐ進んでいる。その先は、森だ。緑しか見えない。

後ろには先ほどくぐってきた城壁が見えて、その左右の先はぼやけて見えなかった。ここから見るだけでも、この町は大変に広く、そしてひたすら真っ平らだということが分かる。

「誰もいないで料理が出てきたの？」

「ああ。全て機械がやってくれた。おいしかった」

「変な町」

それより少し前、キノとエルメスが町に入ると、そこには誰一人いなかった。町は立派で、通りもよく整備されている。しかし人間の姿がどこにも見えない。

すると一台の車が走ってきて、キノとエルメスの前で止まった。ドアが開いて、その中から誰も出てこなかった。代わりにまた機械が出てきて、入国歓迎の挨拶をひとしきり述べた後、町の地図を差し出してきた。キノが受け取ると、ドアを閉めながら車は去っていった。

キノはとりあえず、何か食堂がないか探した。やがて近くにレストランを見つけ、一人で入っていったがやはり誰もいなかった。しかし店内は広く、きれいに掃除されていた。

キノを出迎えたのは車椅子にコンピューターを載せて腕をつけたような機械で、そいつが注文を取った。キノはスパゲッティによく似た食べ物と、何の肉か分からないステーキと、見たこともない色のフルーツを頼んだ。しばらくするとやはり機械によって料理が運ばれて、キノはそれを食べた。機械にお金を払った。

猛烈に安かった。

そして、機械に見送られて店を出た。


キノは近くにあった案内板で、エルメスの燃料を補給できるところを探し、走ってそこまで行った。相変わらず誰も見かけない。途中で走っている車を見つけて追いついてみたら、無人の清掃車だった。誰もいない燃料ステーションで、キノはエルメスに燃料を入れた。ただ同然の値段だった。

今度はホテルを探す。そして行ってみると、そこには誰もいなかった。

豪奢なホテルは外も中もきれいに掃除され、ホールの大理石は輝いていた。フロントには機械が鎮座し、全ての仕事をテキパキとこなしていく。値段はやはり、安かった。

キノはエルメスを押しながら部屋に入った。今までキノが見たことがない、とてつもなく豪華な部屋だった。キノは案内役の機械に、本当にこの部屋でいいのか、ランクを間違えていないのか、ボクは王様ではないけどそのことを知っているのか、後で大金を請求されても絶対に払えないが了承してくれるのか、何度も何度も確認した。

「びんぼーしょー」

エルメスがぼそっと言った。

キノは、意味なく広いバスルームでシャワーを浴びて、下着と肌着を替えた。自分で服を洗おうとして、ホテルに洗濯サービスがあることに気がつき、頼んでみた。やはり機械が取りに来て、明日の朝にはできあがると言って去っていった。

キノとエルメスは、もらった地図を絨毯の上に最大に広げて見た。

今いるホテルは、入ってきた町の入り口からすぐ近くの、『東ゲート・ショッピング街』と書かれたエリアにある。円形の町は広く、先ほどキノ達が走ったのはほんの端っこだけにすぎなかった。

町の中央部には『中枢・政治エリア』と書かれた円形のエリアがあり、薄い赤で塗られていた。南にはかなり大きな湖が水色で書いてあった。他には茶色に塗られた、『工場・研究所』エリアが町の北のはずれにあった。

そして、それら以外は全て、薄緑色で塗られた『居住エリア』だった。それは町の面積の半分以上になる。

「人が住んでるんじゃん」

「これだけの機械を作って、それらが全てきちんと作動しているんだ。それは誰かがいるだろう。少なくとも、この前みたいに後一人しか残っていない、ってことはないね」

「じゃあ、どうして誰も見かけないと思う?」

「そうだな、考えられる原因は……、たとえば宗教的な何かで外出できないとか、休日とか、昼寝の時間とか。あるいは、この辺には住んでないだけかもしれない」

「すると……、居住エリア？」

「たぶん」

「よし！　行ってみよう！　キノ」

　エルメスが興奮して大声を上げたが、キノは首を横に振りながら、

「いいや、もう今日はだめだ。今から行ったら日が沈むまでに戻ってこれないよ。町中とはいえ、夜は走りたくない。それに」

「それに？」

「眠い。ボクは寝る」

「はあ？　いつもならまだ起きてる時間だよ」

　エルメスがそう言った時には、キノはホルスターからパースエイダーを抜いて、それとジャケットを手に持ち、ふらふらとベッドに向かっていた。

「確かにそうなんだけれど……。ボクはね、エルメス、きれいなベッドがあると無性に横になりたくなるんだ。同時に眠くなる……」

　それだけ言うとキノは、ジャケットを広いベッドの縁に掛け、パースエイダーを枕の下に敷いた。そしてぱふっとふかふかの布団に倒れ込んで、しあわせー、と小さな声で言ったかと思うと、すぐに寝てしまった。

「びんぼーしょー」

エルメスがぼそっと言った。

翌朝、キノは夜明けと同時に起きた。

部屋の荷物受けに、昨日頼んだ洗濯物が入っていた。全て新品同様になっていた。

キノは二丁のハンド・パースエイダーの整備を始めた。

後ろ腰につける自動式の一丁、キノはこれを『森の人』と呼ぶ。二二LR弾を使う、細いシルエットのパースエイダーだ。弾丸の破壊力は少ないが、長いバレルに適度の重さがあり、命中精度がいい。

キノは『森の人』の弾倉から弾丸を出して、別の弾倉に詰め直して装塡した。

もう一丁の腿に吊っているパースエイダー、通称『カノン』は、単手動作式のリヴォルバーだ。単手動作式とは、一発撃つごとにハンマーを手で上げる必要のあるシステムのことで、引き金を引くだけで撃てるのはダブルアクションと呼ばれる。

『カノン』は、薬莢を使わない。火薬と弾丸が直接シリンダーに詰まっている。したがって再装塡するためには、いちいち火薬と弾丸と雷管を手で詰める必要がある。雷管は小さな火薬入りのキャップのことで、シリンダーのおしりにつけて、ハンマーがこれを叩いて火薬に引火させる。

キノは『カノン』のシリンダーを空の物と交換して、何度も抜き撃ちの練習をした。

その後シャワーを浴びた。

ロビー近くのレストランに行くと、キノ一人のためだけに、バッフェスタイルの食事がテーブルにずらりと用意されていた。

機械がフライパンを用意して、どんなオムレツでも作りますよ、と言った。

キノはとりあえず、食事代が宿泊料に入っているか、しっかりと確認した。

それから一日分食いだめをするように食べると、部屋に戻ってきた。満腹のあまりしばらく休んだ。

そして太陽もだいぶ上がった頃、キノはエルメスを叩いて起こした。荷物を全てエルメスに積み込み、一応ホテルをチェックアウトした。そして地図を見ながら、『居住エリア』へ向かった。


『居住エリア』は、ほとんど森だった。太い木々が茂り、小川がいくつも流れている。鳥の鳴き声が響き、適度にしめった空気はさわやかだった。

舗装されていない細い道を、キノとエルメスは走った。

そして、ところどころに家はあった。全て様式が同じ、平屋の広い家で、まるで森の中に隠されるように建っていた。隣家までの距離は相当離れていた。

キノとエルメスはしばらく、誰かと会えるかと森の中の道を走った。そして、誰にも会えなかった。

キノは家が見える位置でエルメスを止めてみた。廃屋(はいおく)には必ず何かうすら寒い雰囲気(ふんいき)があるが、ここにはそれがなかった。他(ほか)の国で見かけるのと同じように、人の住んでいる暖かみが感じられる家だった。

しばらく見ていたが、人の姿は見えなかった。あまりその場にいても失礼なので、キノはエルメスを発進させた。

そして、結局誰(だれ)一人の姿を見かけることもなく、町の中心、『中枢(ちゅうすう)・政治エリア』に出てしまった。

森はビルになり、道は舗装されて広くなる。そして、相変わらず誰も見えなかった。動いている車を追いかけてみると、またしても無人(むじん)清掃車だった。

キノとエルメスは、高いビルの一つに入った。エレベーターで最上階まで上がると、全周(ぜんしゅう)見渡せる展望室があった。

キノとエルメスは、きれいに掃除された、そして誰もいない展望室から町を眺(なが)めた。遠くに城壁が薄く見えて、地図のとおりに緑が広がっていた。

隣(となり)のビルの中にも、人間の姿はない。いろいろな形状の機械がせっせと掃除をしているだけだった。

キノは狙撃(そげき)用のスコープを荷物から取り出した。倍率(ばいりつ)を変えながら、森の中の家を覗(のぞ)き見していった。

「ホントはあまり感心できないけどね」

エルメスがつぶやいた。

しばらくして、

「見つけたよ。人だ」

キノがスコープから目を離さずに言った。

「ホント？　ほんとに？」

エルメスが大声を出した。

「ああ、家の前に一人。普通の男の人だ。何か運動をしている。……離れた別の家にも一人。中年の女性だ。庭で……、何をしてるんだろう……。あ、家に入っちゃった。別の家には、電気がついてる部屋もある」

キノはそこで覗きを止めて、スコープを荷物に戻した。

「言ったとおりだろ。人はいるんだ」

「うん。さっきもそんな雰囲気あったしね。それにしても、なんで一人も見かけないんだろうね？」

エルメスの質問に、キノは展望室のベンチに座りながら、

「それが分からない。初めはボク達旅人が珍しいか、怖いのかと思った。でも」

「でも？」

「それなら仲のいい住人同士で会って、楽しく過ごしたっていいだろ。この国には、彼ら同士で会っている形跡もまったくない。出かけてる人もいない。まるで全員が家に閉じこもってるみたいだ」

キノは、もう一度窓の外を見た。清潔でよく整った町並み。自然あふれる森の中の居住エリア。町としての機能は、今まで見てきた中では一番優れていた。

「なんでだろう？」

キノがつぶやいた。

それからキノとエルメスは、『工場・研究所』エリアまで走って、完全自動制御の工場を見学した。懇切丁寧に説明してくれたガイドさんは、やはり機械だった。

キノはその機械に、なぜこの国の人間を一人も見かけないのか訊ねたが、答えは返ってこなかった。

夕方、辺りが暗くなる前に、キノとエルメスは昨晩泊まったホテルに戻ってきた。別のホテルを探してもよかったが、朝食がおいしかったとのキノの要望で、わざわざ町を横断して東ゲートまで戻ってきた。

その間、誰一人として見かけることはなかった。

次の日の朝、キノは朝食を、やはり食いだめした。

エルメスの燃料を補給し、携帯食料を買い込むと、西に向けて町中を突っ切るように走り始めた。真西のゲートから出国するつもりだった。

早朝の森の中に、エルメスのエンジン音が響きわたった。キノはあまり居住エリアで騒音をたてたくなかったが、これぱかりは仕方がなかった。なるべくエンジンを回さないようにゆっくり走っていった。

森の中になだらかな丘があって、キノはその頂上でエンジンを切った。坂道をそのまま下っていった。

キノは家が見えるたびに、誰か見えないかとさっと覗いてみるが、誰も見えない。しばらくして坂をおりきり、すこし惰性で走って、エルメスは止まった。

キノはエルメスのエンジンをかけようとした。その時、かちゃかちゃと人工の音が聞こえ、キノは辺りを見回した。

道から少し離れたところに、家の庭らしく整理された草が生えている。そのそばで、一人の男がしゃがんで、小さな機械をいじっていた。

男は機械の修理に集中して、キノにもエルメスにも気がついていなかった。エルメスがささやき声で、

「おお。こんな近くで目撃された、初めての人間」

まるで珍獣でも発見したかのように言った。

キノはエルメスを押しながら、こっそりと近づいた。そして、男に声をかけた。

「おはようございます」

「うわぁ！」

男が跳ね上がって驚いた。キノとエルメスに振り向く。三十歳ほどの、黒縁の眼鏡をかけた男だった。彼の顔には、まるで幽霊でも見たような驚愕の表情が浮かんでいた。そして言った。

「な、なななななななななななななあ、なな……」

男は完全に、ろれつが回っていなかった。

キノが言った。

「大丈夫ですか？　すいません驚かしてしまって」

「だだだだだ、だあだだえれだだ……。いいいいつつつついうつ……」

男の言葉は意味をなしていなかった。エルメスが、

「キノ、言葉が違うんじゃない？　彼はこれできちんと自己紹介をしているんだ。『エレダ・イイツイ』さんかな？」

「いや、そんなはずはないと思うけど……」

「ききき君達は……」

男がなんとかそれだけ言うと、エルメスが、

「ありゃ？　ホントだ」

「きき君達、私の思っていることが分からないのか？」

男がキノとエルメスを指さしながら、いきなりそう叫んだ。

「はあ？」

エルメスが正直な返事を返した。キノは首を傾げた。

すると男は、パニック状態から急激な回復をみせた。表情がすっ、と和らいでいき、普通の顔をあっという間に通り越して、とうとう嬉しくてたまらないといった顔になった。そして確認をするように、大声で聞いた。

「君達！　僕が何を思っているのか分からないのかい？」

「分かりません。何をおっしゃっているかは分かりますが」

キノは冷静に言った。

それを聞いた男は、興奮しきった様子で、まるで喜びのあまり狂死しそうな勢いで、たたみかけるように言った。

「そうだろう！　僕にも君達の思いは『聞こえ』ない！　……ああ、なんてこったい！　なんてこったい！　君達旅の人かい？　そうだよな！　そうだろうな！　いいいいい、一緒にお茶でもどうだい！　ひ、ひょっとしてもう出発かい？　頼むよ！」

「まだ出発は延ばせますけれど……。よろしかったら、この国ではどうして人が表に出てこないのか教えてもらえますか？」

キノの質問に男は大きく頷（うなず）きながら走り寄ってきて、大声で叫んだ。

「ああもちろんさ！　全部話してあげるよ！」


森の中の細い道を少し行くと、男の家があった。

キノとエルメスは、明るくて広い部屋に案内された。しゃれた造りの木のテーブルとイス。湾曲（わんきょく）している大きな窓の向こうには、きれいに手入れをされた森の中の庭が広がっている。鮮やかな花や、ハーブらしい草がいくつも並んでいた。

家には他（ほか）に誰（だれ）もいなかった。誰かがいる気配もなかった。

キノはコートを脱いでイスに座った。エルメスはその脇に、センタースタンドで立っていた。

「はい、どうぞ」

男がマグカップをテーブルに置いた。

「庭で取れた草で作ったお茶さ。お口に合うか分からないけれど、この国ではよく飲まれているんだ」

キノはお茶の香りをかいだ。

「面白い香りです。なんていうお茶ですか？」

「ドクダミ茶っていう」

それを聞いたエルメスが、思わず叫んだ。

「ドク？　毒が入っているの？　キノ、飲んじゃだめだよ」

キノはエルメスのような無礼な言い方はしなかったが、すぐに飲むことはしなかった。キノはマグカップをのぞき込んで、それから男に確認するように聞いた。

「毒、のお茶なんですか？　初めての人が飲んでも大丈夫ですか？」

すると男はくすくすと笑いながら、

「君達は本当に旅人だなあ。あ、ごめんよ笑って。からかっているわけじゃないんだ。ドクダミっていうのは、毒のあるって意味じゃない。毒を矯める、止めるって意味だよ。……ははは、そうだよなあ、普通毒ナントカ茶なんて初めて聞いたら変なふうに思うよな。それに……、なんとい……て……」

最後は言葉になっていなかった。話しながら彼の表情は笑い顔から、またしても普通の顔を飛び越え泣き顔へと変化して、そしてとうとう声を出しながら泣き出してしまった。

キノとエルメスは一体何が起こったのか分からず、しばらく泣く男を見ていた。

彼はぼろぼろ涙を落としながら、時たま鼻をすすりながら、ゆっくりと喋り出した。

「他の人と……、こうやって会話を交わすのは……、何年ぶりになるだろう……。十年かな、いやもっとかもしれない……」

しばらくして、キノが言った。

「お話、お願いできますか？」

男は眼鏡を外して涙を拭いた。鼻をかんだ。そして何度も頷きながら、

「ああいいとも、もちろんだ。今から説明するよ。なぜこの国の人間がお互いに顔を合わせないのか」

男は最後の涙を拭いた。そして眼鏡をかけて、キノの顔を見た。ゆっくりと息を吐いて、そして話し始めた。

「そうだね……、簡単に言ってしまうと、ここは人の痛みが分かる国なんだよ。だから、顔を合わせないのさ……。いいや……、合わせられないんだ」

「人の痛みが分かる、ですか？」

「何、それ？」

男は少しだけお茶を飲んだ。

「君達も、昔親から言われたことはないかい？　人の痛みが分かる人間になりなさいって。そうしたら相手のいやがること、相手を傷つけることをしなくなる。もしくはこう思ったことはないかい？　他人の考えが分かれば、それはきっと便利で素晴らしいことだって……」

「ある！　あるよ！　ここに来る時もキノは、まったく……」

男の問いかけに、エルメスが飛びつくように答えた。キノに発言の機会を与えない素早さだった。

「悪かったよ、エルメス」

　キノが淡々とした口調で、エルメスの発言にかぶさるように言った。

「この国の人間も、真剣にそう思った。昔からこの国では機械が仕事をほとんどやってしまい、人間は楽に生活できた。食べ物も豊富で、とても豊かで安全な国だった。そうすると人々は、暇を持て余してしまい、頭脳を使ういろいろなことに挑戦するようになった。新しい公式を発見したり、ひたすら科学的追求をしたり、文学や音楽を創ったりね。そしてある時、人間の脳を研究していた医者グループが、ある画期的な発見をしてしまった……。その発見とは、人間の脳の使っていないところを上手く開発すれば、人間同士の思いを直接伝え合うことができる、というものだった」

「思いを直接伝える？」

　キノが怪訝そうな顔で聞いた。エルメスも、

「どういうこと？」

　男は話を続けた。

「たとえば僕が、頭の中で『今日は』と思う。そうすると近くにいる人にその挨拶が伝わる。こんな単純なことじゃなくても、僕が何か悲しくなった時、近くにいる人にその悲しみが直に伝わる。その人は僕の悲しみが理解できて、僕に優しくしたり、解決方法を一緒に考えたりできる。または言葉のできない赤ちゃんの痛みや気持ちよさを、その母親が感じることができる。

俗っぽい言い方をすれば、テレパシーってやつだ」

「なるほど」「はーん」

キノとエルメスが同時に相づちを打った。

「国中の人が、それは素晴らしい発見だと褒め称えた。それによって人間はお互いに心の底を伝え合うことができる。そしてもっとお互いを分かり合える。自分達は今までの、ノイズだらけの、しかもきちんと伝わっているか絶対に確認し得ない言語によるコミュニケーションを、古くさい方法にすることができるんだ！……みんなそう信じた。そして全ての人間にその能力を与えようと、簡単に脳を開発できる方法を探り、薬が完成した。それはもう、あっという間にね。それから、全ての国民がそれを飲んだ」

「全員が？」

エルメスがすかさず聞いた。

「全員がさ。みんながみんなと同じ高みに立ちたかったんだ。進化したかったんだよ。取り残されたくなかったんだ。そして、確かにある意味僕達は進化した……」

「それで、どうなりました？」

キノが思わず身を乗り出した。男は少しだけ悲しげな表情をして、淡々と話し始めた。

「ここから先は、僕個人の体験を語ろう……。僕は薬を飲んだ。飲んだ次の日の朝、目が覚めると『分かる？　分かる？』と頭に何か飛び込んできた。部屋には誰もいない。驚いたよ、本当に離れたところにいる人間からメッセージが届いたんだ。それは、もちろん『分かる？』って言葉で頭に伝わった訳じゃない。僕自身が『分かる？』と思っているような感じがしたんだ。とっさに『分かるよ！』と思ったら、『私にも分かるわ！　凄い！』と感じが返ってきた。『玄関にいるの』と伝わったので、あわてて外に出てみると、僕のその時の恋人が立っていた。テレパシー能力の開花は成功したんだ。僕と彼女は嬉しくて嬉しくて、何度もお互いを思い合って、『愛してる』を伝え合った。今思い出すと笑っちゃうけれどね」

男はそこで一旦話すのを止めて、ふーっと息を吐いた。

「僕達は世界で一番幸せだと思った……。その時はね。そのまま一緒に暮らし始めて、それから数日が過ぎた。そして……ある時、僕は彼女がハーブに水をやっていて、そしてあげすぎてしまったのを目撃した。そして思った。『あれ？　この間注意したのに。何度言ったら分かるんだろうなあ？』ってね。それと同時に『違うよー』って穏やかに言おうとしたんだ。でも、それを言う前に、彼女は僕を睨んでいた。そして頭の中に直接返答が届いた。『なによ！　何度言ったらって？　私のことバカだと思ってるのかしら！』」

「…………」

「そう、彼女に伝わってしまったんだ。伝えたくないことがね。彼女のいきなりの返事に僕はとまどって、『一体なんなんだ？　なんでそんなことで、こんなに怒られなきゃならないんだ？』と思ってしまった。すると、『そんなこと？　そんなことですって？　私にとってはとても重要なことが、やっぱりあなたにとってはそんなことなのね！』そう返事が来た」

　男の顔に、今度はほんの少し笑みが浮かんだ。それは、自嘲するような笑い方だった。

「その後は、ひたすらテレパシーでケンカさ。実はね、彼女は僕に対して、学歴面、そして頭脳面での劣等感を常に持っていたんだ。僕は長年つき合っていて、そのことにまったく気がついていなかったのさ……。当然、彼女が僕はそれに気づいてるんだろうと思ってることも、気づいてなかった。彼女は、『あんたみたいなエリートぶった冷血人間と、一緒になんていられないわ！』と捨て思いを残して、出て行ってしまった。僕はボーゼンと取り残されて突っ立っていた……。とんでもない笑い話さ。お互いの心の内をストレートに伝え合うことができたから、もう取り返しのつかないほど仲が悪くなってしまった。でも僕らは笑い話ですんでまだよかったんだ……。同じ頃に、とある場所では一人の人間が事故で死にかけた。その人間が今際のきわに思っていることが、あわてて駆けつけた人達に伝わって、彼らを発狂させてしまった。別のところでは、今まで手を組んでいた二人の政治家が、じつは互いに相手をいつか裏切ってやろうと思っていたのがばれて、議会で殺し合いを始めた。決着がつかないで、そしてお互いに痛くなって止めたけどね。学校では、みんなが答えを教え合うのでテストが成り立たなくなっていた。ああ、そういえば若い女性に近づいただけで、婦女暴行未遂と猥褻物陳列で訴えられた奴もいたな」

「……………」

「まあ、そんなようなことがあちらこちらで起こったんだろうな。一週間ほどは、国中パニック状態だった」

「それから、どうなりました？」

キノが聞いた。男はそれに素直に答えるように、

「それから、僕達は自分や他人の考えが分かるということの恐ろしさに、ようやく気がついた。自分の思うこと。他人の思うこと。それが全て筒抜け状態なんて、進化でもなんでもなかったんだよ。まあ、そのことに気がついたのは進化だったかもしれないけどね……。いいや、ただの進歩かな？『他人の痛みが分かればその人に優しくできる。もっと人はお互いを尊敬し合える』なんて、とんでもない大嘘だった。自分が痛くない時に、痛みが伝わってしまうなんてことは、結局損以外の何物でもないんだ。別にそれで最初の持ち主の痛みが消えるわけではないしね。……この混乱の解決方法は、たった一つだけだった。それは他人と離れること。数十メートル離れれば、遠くの音が聞こえなくなるように、思いも伝わらなくなる……」

「なるほど、そういう訳かあ」

エルメスが心底感心した様子で言った。

「そういう訳さ。つまりこの国の人間は全員、本当に本物の、想像ではないピュアな対人恐怖症になってしまったんだ。でもその後、そのおかげで機械がさらに発達して、この国ではそれでも生活できるようになってしまった。だからみんな、今でも森の中の離れた家で一人で生き

ているんだ。自分だけの空間で、自分だけが楽しいことをして……。この国では、もう十年近く子供が生まれていない。だからそのうちに滅びるだろうね。でもそれは僕が死んだ後だから、気にしても仕方がないけれど」

男は立ち上がると、後ろにある機械のスイッチを入れた。音楽が流れ出した。それは電子フィドルが奏でる、穏やかな曲だった。

キノはしばらく聴いて、

「すてきな曲ですね」

それを聞いた男は、ほんの少し微笑んで、

「僕はこの曲が大好きだ。十数年前にこの国で流行った曲だけどね。これを聴いて、僕はいつもとても感動してしまうけれど、そんな時思うんだ。『他の人はこの曲を聴いた時に、自分と同じように感動するのだろうか?』ってね。昔は恋人と一緒に聴いた。彼女もいい曲だって言ってくれたけれど、本当のところ、彼女はどう思っていたんだろう? そして今の君、キノさんはどう感じているんだろうね……。でも、その答えは知りたくはない」

そう言って、目を閉じた。

しばらくして曲は終わった。

「じゃあ、キノさん。パースエイダー有段者の君に言うことじゃないかもしれないけれど、道中気をつけて」

家のガレージの前で男が言った。キノは帽子をかぶりゴーグルをはめて、エルメスはエンジンをアイドリングしていた。騒々しい排気音が響いている。

「そんなことはないですよ。気をつけます」

「エルメス君も」

「ありがと」

「君達と話ができて、とても楽しかった。できれば最初の日に会いたかったけれど……、それは仕方ないね」

男はそう言って、肩をすくめて微笑んだ。

「お茶、ごちそうさまでした。おいしかったです」

キノはそう言ってエルメスに跨った。前に体重をかけて、スタンドを外した。

そして、エルメスを発進しようとしてギアを入れた。

その時、

「あ！ あの！ ちょっと、いいかな。もう一つだけ言いたいことがあるんだ」

男があわてて言った。キノはエルメスのエンジンを止めた。辺りはすっ、と静かになった。

男はキノとエルメスにもう一歩近づくと、一度深呼吸をして、

「あ、あのっ！ もしよかったら、し、しばらくここで一緒に暮らさないかい？ ここは安全

だし、人に会えないことを除いたら、とっても居心地がいい。落ち着いて自分の好きなことができるよ。エルメス君も、どうかな？ この町を拠点にして旅をしてもいいし。その、もし、キノさんさえよければ、僕と……」

キノはしばらく、いきなりそれだけを言い放った男をじっと見た。

そして、軽く首を振って、

「申し訳ないんですが……。ボクは旅を続けたいと思います」

キノがそう言うと、男は焦りながら、

「そ、そうか……。いやっ、その、変なこと言ってわ、わるかった。いや、あ、その……」

しどろもどろになった。彼の顔は真っ赤だった。

キノは黙ってエルメスのエンジンをかけた。

男の顔を見た。顔を上げた男と目があって、キノは微笑んだ。

それを見た男は驚いて、やがて彼も照れたように微笑んだ。

男は軽く右手を振った。

キノは微笑んだまま軽く首を傾げた。

それから前を向いて、エルメスを発進させた。

モトラドが走り去っていくのを見ながら、男は思った。

国を出てからしばらく、ぼんやりとした草原の道をキノとエルメスは走っていた。だいぶ傾いた太陽が、そろそろキノの視野に入りかけている。

「キノぉ。最後にあの人としばらく見つめ合っていたじゃん」

エルメスが突然聞いた。

「ん？　ああ」

「ラブラブだったのかい？」

「はあ？　なんだいそれ？」

エルメスのからかうような言い方に、キノが呆れ顔で返事をした。

「あの男の人と結婚するんじゃないかと、端で見ていてハラハラだったよ」

エルメスが今度は真剣な口調でそう言うと、キノは笑いながら、

「そんなことはないよ」

「ならいいけど」

エルメスはそう言って、しばらく黙った。

それから、こうつぶやいた。

「それにしても、キノに惚れるなんて。なんて変わったシュミのお方だ」

モトラドは草原の道を走っていく。

しばらくしてから、ふと思い出すようにキノが言った。

「あの人は最後にボクを見て、『死なないでね』って思ってくれたような気がするよ」

「ふーん。それで？」

「だから、ボクは『ありがとう』って返事をしたのさ」

キノはそう言って、くすっと笑った。

「なるほど。でもそれ、向こうにきちんと伝わったかな」

エルメスが聞くと、キノは微笑(ほほえ)んだまま、きっぱりとこう答えた。

「さあね」

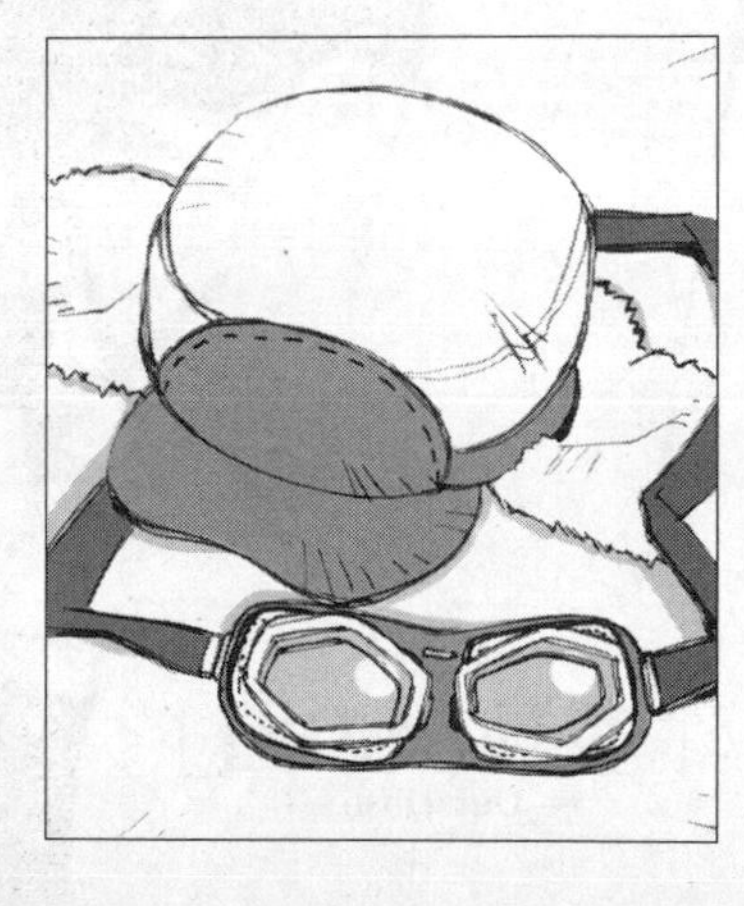

第二話
「多数決の国」
— Ourselfish —

第二話「多数決の国」
—Ourselfish—

草の絨毯が、果てなくどこまでも続いていた。緑の大地は緩やかにうねり、幾重にも重なりながら地平線の向こうへと消えていく。

空ははっきりと蒼く、高い。ところどころに、眩しいほど鮮やかな雲が流れている。遥か遠く地平線上の空では、巻き立つ入道雲が、白亜の神殿のようにそびえ立っている。蟬が激しく鳴く声が、囲むように聞こえている。

その草原には、一本だけ道があった。

それはわずかに土が見えることで、かろうじて分かるほど細い道だった。まっすぐ進んでは、ところどころに群生している木々をよけるように、たまに急カーブを繰り返している。そして西へと延びていた。

一台のモトラド（注・二輪車。空を飛ばないものだけを指す）が、その道を走っていた。モトラドはカーブをかなりのスピードでクリアしていった。長い直線に入り、後輪は土を蹴散らし、さらに加速していく。

モトラドの運転手は、黒くて裾の長いベストを着ていた。襟は風が入るように、大きく開けている。腰を太いベルトで締めて、後ろにハンド・パースエイダー（注・パースエイダーは銃器。この場合は拳銃）のホルスターをつけている。中には細身のハンド・パースエイダーが、グリップを上にして収まっていた。右腿にも、もう一丁見える。

ベストの下には白いシャツを着ていた。肩から伸びた両袖が風であばれないように、数カ所をバンドで止めている。

運転手の黒くて短い髪が、風でわしゃわしゃと乱されていた。細身の精悍な顔に、ところどころが剝げた銀色フレームのゴーグルをして、運転手は前方を睨んでいる。

カーブが近づき、運転手は減速して、モトラドを倒し込んだ。わずかに後輪を滑らしながら、安定した挙動でカーブをぬけた。

モトラドに後部座席はなく、パイプフレームのキャリアになっていた。そこには、大きな鞄と、丸めた茶色のコートが縛りつけられている。その一番上に、運転手が今着ているベストの、元はジャケットの両袖が、しっかりと、そして無造作にくりつけられていた。キャリアの下には、さらに荷物を積むための箱が後輪両脇に取りつけられている。

モトラドは草原を滑るように走り続けた。

ふと、運転手が軽く顎を上げた。左手をハンドルから離し、二回ほどモトラドのタンクを叩いた。そして前方を指さした。

「見えてきたよ」

運転手がモトラドに話しかけた。

「やっとかい」

モトラドが答えた。

彼らの進む先に、町を取り囲む白い城壁が、ぼやけながらも見え始めていた。

運転手はアクセルをさらに開けた。


「誰(だれ)かいませんか？」

モトラドの運転手が大声(おおごえ)を出した。ゴーグルをはずして首にかけた。風でぐしゃぐしゃになった髪(かみ)を手で整えようとしたが、あまり代わりばえはしなかった。

運転手の目の前には、高い城壁にあいたアーチ状の門があった。しかし本来はしっかり閉められているはずの分厚い扉(とびら)は、完全に開いていた。暗い門をくぐった向こうに、石造りの家がわずかに見えている。いつもはパースエイダーを構えた門番兵(もんばんへい)がいるはずの詰(つ)め所(しょ)にも、人の気配はなかった。

運転手は、しばらくそのまま待った。一度だけ、額(ひたい)の汗を腕で拭(ぬぐ)った。

「誰もいないみたいだよ、キノ」

サイドスタンドで立っているモトラドが、代わりに返事をした。

「おかしいな」

キノと呼ばれたその運転手は、もう一度大声で聞いた。

穏やかに風が吹く音だけが聞こえた。

「返事なし」

モトラドが短く言った。

「入っちゃえばどうかな。門は開いてるんだから」

「それはまずいよ、エルメス。他人の家に許可なく入って、撃ち殺されても文句は言えないだろ」

エルメスと呼ばれたモトラドは、そかな、と小さく言って、

「誰もいなければ撃たれはしないよ。それに」

「……それに？」

キノがエルメスへ、何かを期待する顔で振り向いた。

「キノを殺せる人間は、そうそういないよ。たとえ後ろからパースエイダーを抜かれても、たいていの相手は振り向いて撃ち倒せる。保証するよ」

「…………。そいつは、どうも」

キノは苦笑しながら、右腰のホルスターに入っている、リヴォルバータイプのハンド・パー

スエイダーを軽く叩いた。

「仕方がない。いつまでもここにいる訳にもいかない。おじゃまさせてもらうか」

「そうしよう。意見はそろった」

「ただし、反撃はなしだ。何かされそうになったら、逃げるよ」

「お好きなように」

キノはエルメスを押しながら、門をくぐっていく。

「キノ。国の中央にでも行けば、誰かがいるに決まってるよ。そしたらその時にでも、入国と滞在の許可をもらえばいい。うん」

エルメスが軽口を叩いた。

門をくぐり終えて、城壁の中の町へと、キノとエルメスは入っていった。


「町中で野営とはね」

キノがたき火に木をくべながら、やや自嘲気味に言った。辺りは真っ暗で、空には雲でところどころ隠された星空が見えている。

「少なくとも、キノのせいではないよ」

メッキのパーツにちらちらと炎を映しながら、荷物を全ておろしたエルメスが止まっていた。

「すると、エルメスの責任かな？」

キノがおどけて言葉を返す。

「それも違う。この国の住人の責任さ。これほど整備された国に、誰も住んでないなんて、建造物に対して大変失礼だ。無礼だ」

エルメスはやや憤慨して言った。

キノとエルメスがすっかり腰を落ち着かせているこの場所は、大きな交差点の真ん中だった。石畳の、車が並んで数台は通れそうなほど太い道が、きれいに四方に延びていた。道沿いには石造りの建物が隙間なく並んでいる。全て同じ様式の四階建て、歴史がありそうな立派な建物だった。しかし、窓から漏れてくる明かりはない。

結局キノとエルメスは、半日この町を彷徨い、誰一人見つけることはできなかった。最近人が住んでいた形跡すらなかった。

そして廃屋の探索に疲れて、見晴らしのいいこの場所に座り込んだ。なぜか一カ所、石畳が緩やかに窪んでいた。手のかかった街路樹だったらしい枯れ木を集めて、そこで火を焚いた。

「ゴーストタウン、か」

キノが粘土のような携帯食料を手でちぎりながらつぶやいた。それを口へと放り込む。美味しくて食べているといった様子は、まったくない。

「明日はどうする？」

簡単な食事を終えたキノに、エルメスが聞いた。

「まだ行っていないところがある。そこを探してみよう」

「無駄に終わるかもよ」

「まあ、それでもいいよ」

キノは短くそう答え、鞄から毛布を引っぱり出した。エルメスとたき火を通りに残し、角の建物の軒先へと歩いていった。歩道に毛布を敷いて座る。そしてぼやいた。

「柔らかいベッドと、真っ白なシーツがほしいな……」

「ご愁傷様。ちなみに明日の朝起きても、熱いお湯の出るシャワーはないよ」

「……やれやれ」

キノは右腿のパースエイダーを抜いた。キノが『カノン』と呼ぶ、単手動作式リヴォルバー。そしてそれを握ったまま、毛布にくるまるように横になった。

「もう寝るの?」

「ああ、することがないしね。後はよろしく。おやすみエルメス」

キノはそう言うとすぐに、整った寝息を立て始めた。


ゴーストタウンの夜は静かだった。

時たま通りの真ん中で、

「暇だなー」

小さくつぶやく声が聞こえるだけだった。

翌朝。

キノは夜明けと共に起きた。辺り一面霧が立ち込めていた。

キノは軽く運動して、パースエイダーの整備と訓練をした。そして昨夜と同じメニューの朝食を取った。

太陽が姿を現し、そして霧が完全に晴れた頃、エルメスを叩いて起こした。

一応たき火の後をきれいに始末する。全ての荷物を積み込んで、その場を後にした。

キノ達は、昨日行っていなかった場所を半日走り回った。やはり誰一人として見かけることはなかった。人が住んでいた気配もなかった。

そして昼頃、やや探求に疲れを覚えたキノとエルメスは、巨大な公園にたどり着いた。

緑の広大な敷地に、白い石畳の道が延びている。モトラドでしばらく走り回っても、まだ端にたどり着けないほど広い。

ここにも最近人の手のかかった様子はなく、木々や芝生は伸び放題で、池の水は干からび、花壇の花は全て枯れていた。

キノ達は公園をさらに奥へと進み、白亜の建造物を見つけた。

「これは、凄いね。もの凄く手間とお金がかかってるよ。とても素晴らしい」

エルメスが感嘆し、褒めちぎった。

キノとエルメスは、白い大理石で造られた建物の正面にいた。目の前のそれは、キノの視野に入りきらないほど大きい。造りはひたすら豪奢で、建物の端から端、上から下まで美しい装飾が施されていた。

「元は王宮か何かかな」

キノが額をシャツの袖で軽く拭いながらつぶやいた。太陽は一番高いところにあって、日差しは眩しい。

「おそらくね。それも相当にリッチな王様が住んでたんだ。ま、いつの頃かは知らないけど」

「それが、王政がなくなって公園になったのか。……誰か歴史を教えてくれる案内人はいないのかな？」

キノが多少の皮肉を込めて言うと、エルメスも、

「ねえ。ぜひ聞きたいのに」

そうぼやいた。

キノはエルメスを押しながら、建物の中を探索していった。

何十枚ものステンドグラスで飾られた巨大なホールや、普通の家よりはるかに広い浴場、果

てしなく続く廊下など、内装も外装に負けず豪華だった。

そして、どこもかしこも埃だらけだった。

適当に見学を終えたキノとエルメスは、ふと建物の裏に出た。そこはテラスになっていて、広大な裏庭を一望できるようになっていた。

「なるほどね」

エルメスが目の前に広がる景色を見て、素直につぶやいた。キノは何も言わず、テラスから身を乗り出すようにして、それを見た。

墓だった。

裏庭の芝生の緑の中に、簡単に土を盛り、薄い木の板を一本立てただけの簡単な墓があった。

そして墓は、視界一杯に広がる裏庭を、文字どおり埋め尽くすように並んでいた。幾千、幾万あるのか、到底数え切れない。

裏庭が元々は王族の狩猟場だったのか、それとも市民の憩いの場だったのか。そこに説明文はなかった。しかし今は、巨大な墓場でしかなかった。

キノが長く、深く、息を吐いた。しばらくそれを眺めていた。

夏の遅い日の入りがゆっくりと迫り、空は静かに明るさを失い始めていた。建物の影の中、そこは急速に光を減らしていく。まるで沈んでいくようだった。

ややあって、エルメスがつぶやいた。

「キノ、ここの人間はほとんど死んじゃったんじゃないかな」

「…………」

「それで、生き残った人間もどこかに行っちゃったんだよ。ホーキされた国ってやつさ」

「……そうかもしれないね。なんでだろう?」

「さあ……」

キノはエルメスに振り向いて、テラスの手すりに寄りかかった。

「ここにいても、もうなんにもならないよ。次の国へ行こう」

キノは軽く首を振りながら、

「いいや。今晩はここに泊まって、明日の朝出発しよう。まだ三日経っていない」

するとエルメスは、

「またかい。その、一つの国には三日って、何か意味があるの?」

かなり訝しげに聞いた。

キノはほんの少しだけ微笑んで、

「昔会った旅人が言ってた……。それくらいがちょうどいいんだってさ」

「そんなもんかね」

エルメスはあまり興味なさげにつぶやいた。

キノは寄りかかったまま首だけを回し、もう一度墓を見た。

三日目の朝を、キノ達は公園の入り口にある小屋の中で迎えた。

キノはいつもと変わらず夜明けと共に起きた。パースエイダーの訓練をして、整備をした。濡らした布で体を拭き、朝食を取った。そして荷物を整え終えてから、エルメスを叩いて起こした。

ベストをシャツの上から着て、ベルトを締めた。ホルスターの中のパースエイダーをもう一度確認する。

キノは西側の門へ向けて出発した。

ゴーストタウンの朝は、他の町のそれと同じように静かだった。

キノはエルメスのエンジン音を遠慮なく建物に響かせながら、スピード違反の速度で走っていった。


城壁が見えてきた時、キノは門の前に一台の農業トラクターが止めてあるのを見つけた。

後ろの荷台には、野菜や果物が山積みされていた。そして、運転席には、一人の男が帽子を目深に被って座っていた。三十代ほどの男で、土に汚れた作業服を着ている。

「キノ！　人だよ！　この国に人がいた！」

エルメスが、まるで人がいるのが筋違いであるかのように興奮気味に言った。

キノ達がトラクターに近づいた。男は寝ていた。そしてエルメスの爆音に顔をしかめ、頭を軽く振る。目を覚ました。そしてキノと目があった。

キノはエルメスのエンジンを切った。辺りが急に静かになる。

「起こしてしまって申し訳ありませんが……、おはようございます」

「どうも」

キノとエルメスが挨拶すると、

「こいつは、驚いた……」

男の両目がこれ以上ないほど開かれた。一瞬で眠気を吹き飛ばした様子だった。

「あ！　ひょっとして、旅人さんかい？　……ちょっと待って！」

男はトラクターの運転席から飛びおりてきた。一度つまずいてキノの元に駆け寄る。

「やあ、今日は！　私は、この国の住人だ。唯一の住人だ。我が国にようこそ！　いや、よく来てくれた。会えて嬉しいよ！」

二日遅れの猛烈な歓迎を受けて、キノは複雑な表情を作った。

エルメスが聞く。

「この国の人間はおじさんだけだって？　一体何があったのさ？」

するとその男は、嬉しそうな哀しそうな、そして泣き出しそうな顔をして、キノとエルメスに訊ねた。

「キミ達、すぐ出発かい？　時間はあるかい？」

「今日中でしたら、出発はいつでもいいんです」

　すると男は、

「そ、それなら！　キ、キミ達にぜひ、この国で何があったのか説明したい！　聞いてくれるね？　頼む！　頼むよ！」

　しがみつかんばかりの勢いで言った。

　キノはエルメスを一瞬見て、男に向き直った。

　そして微笑(ほほえ)みながら言った。

「ええ。ぜひ知りたいですね」

　門の前の広場、そのコーナー部分。建物の一階にはオープンカフェがあったらしく、椅子(いす)とテーブルが山積みになっていた。男は日差しよけの屋根を歩道に広げ、テーブルとイスを引っぱり出した。イスを軽くはたいてキノに勧めた。エルメスはキノの脇に、センタースタンドで立っている。

　男はテーブルの上に肘(ひじ)をつき、手を顔の前で組んだ。

「まず、何から話そうか……。やはり王政(おうせい)と革命からかな」

「やはり王様がいたんですね」

キノの問いに男が頷いた。

「ああ。十年前まではね」

「それで革命が起きた、と。だいたい予想どおりだね、キノ」

「キミ達は、中央公園には行ったようだね。あれも見たんだろう」

男が少し顔と声を曇らせた。

「そうです。勝手に行きました」

エルメスが皮肉気味に返事をした。

「それはかまわないよ。話が早くなって助かるから」

「あれは、この国の人達のお墓ですよね？」

男は何度か頷いた。

「ああ……。でも、仕方のないことだからね」

「流行病か、何かですか？」

キノが聞いた。男は悲しげな表情を作り、こう言った。

「いいや、違う。病気で死んだのは一人だけだ……。順を追って話そう」

「この国は、建国以来ずっと王政が続いていた。王一人が、国と人を全て我が物として支配してきた。それは、何十人いた王の中には、立派な政治で国民から慕われた者もいたさ。しかし、そうでない輩の方が圧倒的に多かった……。特に十四年前に王になった奴は最低だった。皇太子時代が長かったせいか、王になるやいなや自分勝手な行動に出た。逆らう人は殺された。当時不作で財政難だったことなんてまったくかまわずに、遊んでばかりいた。不作は三年も続き、ほとんどの人は飢えた。むろん、そんなこと、奴はお構いなしさ。きっと〝飢える〟って言葉も知らなかったんだろう」

「〝パンがなければケーキを食べればいいのに〟」

エルメスが茶化してそう言うと、男はニヤリと笑って、

「博識だね」

エルメスは、どうも、と短く言った。

「十一年前、あまりの生活苦に税率を下げてほしいと訴えた農民が、全員殺されてしまった。我々の怒りは頂点に達した。王による暴力はもう歯止めがきかない。この状況を何とかするためには、王を、そして王制そのものを倒すしかないと、革命計画が本格的に動き出した。当時私は、大学院で文学を勉強していた。家は比較的裕福だったが、貧しい人達の痛みは分かった。そして私は、その計画にかなり初期段階から参加した」

「ふむふむ」

「もしそれを見つかっていたら?」

キノの質問に、男は顔を曇らせた。

「もちろん死刑だ。仲間が何人か捕まって、処刑された。この国の伝統的な死刑方法を知っているかい？　手足を縛って逆さまに吊り上げ、道路に頭から落として殺すのさ。この国では、家族も一緒に処刑される。交差点広場の公開処刑を、私は何度も見ることになった。まず仲間達の家族が落とされる。親、配偶者、子供の順に……。そんな中、仲間達が私や他の仲間を群衆から見つけて、目隠しを断って、落下するほんの刹那に何かを訴えて、そして頭蓋骨を砕かれ、首の骨を折って死んでいくのを見た。……何度も見たよ」

「…………」

「十年前の春の朝、とうとう我々は蜂起した。まずは警備隊の武器庫を襲った。むろん大量のパースエイダーと弾薬を手に入れるためだ。それ以前は、一般の民衆が武器を持つことが一切許されなかった。当たり前と言えば当たり前か。ろくでもない権力者ほど、民が武装するのを恐れるからね。とにかく、各地の武器庫からパースエイダーを持ち出すことには成功した。我々に賛同してくれた警備隊員もいた。そして我々は、一気に王宮に突入し王を捕まえる、はずだった。だが止めた」

男はそこまで言うと、軽く微笑んだ。

「止めちゃったの？　どうして？　雨が降りそうだったから？」

エルメスが驚いて聞いて、

「……洗濯物を干すのとは訳が違うよ、エルメス」

キノが呆れ顔で言った。そして男に向いて、

「その必要がなくなったからではないですか？　王が逃げ出したとか？」

男は人差し指を立てて、嬉しそうに笑いながら、

「正解さ。そのとおり」

「なんで分かったの？　キノ」

「あの建物がどこも傷んでなかったからね」

エルメスは、なるほど、と小さくつぶやいた。

「王は家族と共に、いや、財産と共にと言うべきかな、トラックの荷台に隠れて国外に逃げようとした。そしてすぐに見つかった。ははは、それはそうさ。誰だって荷台で野菜と宝石に埋もれている人間を見たら怪しいと思うだろう。そして革命は、ほとんど犠牲を出さずに成し遂げられた」

「それは凄い。で、それから？　それからどうなったの？」

エルメスがせっつくように聞いた。

「それから我々は、新しい自分達の生き方として、そして国の運営方法として、自分達が自分達を治める、今までにない政治形態を作ることにした。特定の一部の誰かではなく、皆で決めて皆で行う政治だ。我々は誓った。〝もう二度と、一人の人間が国家であってはならない。国家は皆のものである〟、と。誰かのアイデアを皆に知らしめて、どれだけの人間がそれに賛成

しているのかを調べる。多くの人間が賛成していれば、その方法を採用する。最初に決めたのは、捕らえられた王をどうするかということだった」

「どうなりました？」

キノが聞いた。男は目を細めながら、

「投票の結果、九八パーセントの賛成多数で、王の死刑が決まった。王と、その取り巻きと、その家族とね」

「やっぱりね」

エルメスがつぶやいた。

「王一家が吊されて、落とされて。やっと恐怖と絶望の時代が終わった気がした……。それからは忙しかったよ。皆でいろいろなことを決めた。まずは憲法。第一条には、国は皆のものであって、国の運営は全て多数決による旨が記載された。そして税制。警察。国防。法律に刑罰。学校制度を決めた時は楽しかったな。これからの未来を担う子供達に、どういった教育を施すかを決められるなんて。ああ、楽しかった……」

そして男は目を閉じた。それから小さく何度か頷いて、目を開けてキノを見た。

キノは身を少し乗り出して、

「それから、どうなりました？」

男は水筒を開けて、何口か飲んだ。一度息を吐いた。

「しばらくの間は、全てはうまくいっていた……。ところがある時、突如とんでもないことを言い出した奴らがいた。主張はこうだ。『全てが直接投票だと手間が著しくかかる。誰かリーダーを投票で選び、その人に権限を与え何年か国の運営を任せたらどうだろうか？』」

「その主張は、通ったのですか？」

「まさか！　それはもう、気違いじみているとしか言いようがなかった。そんなことをして、その選ばれたリーダーが狂ったらどうする？　一人の人間に力を与えてしまい、奴が暴走した時、誰がどうやって止められる？　言い出した奴らはこの国に再び絶対的存在である〝王〟を作り出し、その庇護の下で自分達だけ特別な生活をしようとしたのさ。浅ましい考え方だ。当然反対多数で通らなかった」

「なるほどね」

「しかし我々は、そんな危険な考えを持つこと自体が、国の未来に危険だと判断して、奴ら全員を国家反逆罪で告発した」

　キノがエルメスをちらっと見た。そして男に聞いた。

「どうなりました？」

「賛成多数で、奴らは有罪となった」

「それで？」

　エルメスが聞いた。

「死刑さ。全員死刑になった」

「……例の、家族全員を吊して落とすという……？」

キノの質問に、

「ああそうさ。皆の国家に逆らう奴らはそれがお似合いだ」

男は吐き捨てるように言った。しかしすぐに寂しそうな表情を作り、こう続けた。

「だけどね、残念ながら国家に逆らおうとする奴らは、それで終わらなかった。ある時は死刑制度をなくそうなどと言い出す奴らが現れた。とんでもないことさ。死刑制度を廃したら、国家反逆者をいつまでも生かしておかなければならない。そんなことを言い出す奴ら自体が国家反逆者なのさ。だから奴らもその後の投票で死刑になった。またある時は、我々の新税制に反対する奴らが現れた。自分達の税率は高すぎると文句を言い、あまつさえ払えないから払わないと言い出した。多数決で決まったことに対して従わないと、文句を言い出したんだ。自分達だけがよければそれでいいなんて傲慢な考えを、我々は当然許すわけにはいかない。奴らも処刑したよ」

「…………」

「国の運営ってやつも大変だね」

エルメスが言った。男は軽く人差し指を立て、

「そうさ。でもしっかりとやらなくては、どこかで間違ってしまうから。取り返しのつかない

ことになってからでは遅いんだ」

「その後は？」

キノが聞いた。

「うん。我々は何とか立派な国を作ろうと頑張ってきた。……だけど、どうしても国家に逆らおうとする奴らは生まれてしまう。ある時は皆と同じ、しっかりした考えを持っていた人も、ある時は我々に反抗し、国を間違った方向へ導こうとする。昔の仲間を処刑した時はさすがに心が痛んだ。しかし、私はしなければならないことを、個人的感情で逃げたりはしない。決してね」

「それで、そのうちにお墓が足りなくなったのですか？」

「残念ながらそのとおりだ。しかし幸運にも、元王宮が中央公園になっていて、農地にするはずだった裏庭を使うことに決めた。反対した奴は死刑にした」

「今まで何回、死刑は執行されましたか？」

キノの質問に、男は少し考えた。

「さあ。王の時代からだと数え切れないくらい……」

「いえ。新政府になってからでいいです」

「ああ。一万三千六十四回だ」

男はすぐさま答えた。

「最後の一回は、どんな投票で決まったんですか？」

「最後は、ちょうど一年前だった。その時この国には、私と私の愛する妻、そしてもう一人、私の長い間の仲間だった独り身の男がいた。我々は三人でしっかりこの国を支えていくつもりだった。しかしある時、その男が、この国を出ていくと言い出した。何度も行かないように説得を試みた。しかし、奴の邪悪な意志は固かった。国を捨て、義務を捨てて出ていくなど、我々は許せなかった。投票の結果、二対一で奴を死刑にすることが決まった」

「奥さんは、まだいらっしゃるのですか？」

男は首をゆっくりと振った。

「いいや、もういない。……半年ほど前だ。病気で死んでしまった。風邪だった。医者でない私には、どうすることもできなかった……。ああ……。ちくちょう……、ちくしょう……」

やがて男は、静かに泣き出した。


「お話、ありがとうございました。大変よく分かりました」

キノは机に突っ伏し嗚咽する男にそう言って、軽く頭を下げた。そして、

「エルメス、そろそろ」

そう言いながら、イスから立ち上がった。すると男が頭を上げた。

「もう、この国には私しかいない。寂しいよ」

「………」

「しかし、正しい行いは、時に人に苦行を強いる。この困難に、この国は立ち向かっていかなければならないんだ」

やがて男は顔を拭くと、キノとエルメスに提案をした。

「キミ達！　頼むからこの国の住人になってくれ。そして一緒にこの国を再興させよう。ここにいる皆が、名誉ある市民だ。な、いいだろう？」

キノとエルメスは、ほぼ同時に返事をした。

「いやですね」「やだね」

男は一瞬、意外そうな、そして悲しそうな表情を作った。

「そ、そうか。キミ達〝二人〟がそう言うなら仕方ないな……。そ、それなら」

男はほんの少し考えて、聞いた。

「キミ達は後一年ほど、ここにいなくてはならないと思う。どうだろう？」

「そんなことはないです」「キノに賛成」

「キミ達はもう一週間だけここにいて、ここにある物を何でも好きに使っていい」

「お断りします」「いらない」

「も、もう三日ここに泊まって、とてつもなく豪華な食事を一緒にどうだい？」

「うっ。……いや、いりません」「キノの気が変わらないうちに出発します」

「この国に住んでくれたら、私はしばらく忠実な奴隷として振る舞ってもいい」

「遠慮します」「そんなシュミはないです」

ごんっ！

キノはエルメスのタンクをぶっ叩いた。そして顔をしかめながら、手を振った。

「そろそろ出発します。あなたの申し出は残念ですが、どれもこれも賛成できません。でも、お話を聞かせてくれて本当に感謝します」

キノは一度だけ軽く頭を下げた。

「もう一日だけ！　もう一日だけこの国にいてくれないか。そうすれば、この国の素晴らしさをもっと説明できる。頼むよ……」

「そういう訳にはいきません。三日間すでに滞在しましたから」

キノはそれだけ言うと、エルメスに振り向いた。

「なんでか知らないけど、そういうことになってるんだ。悪いねおじさん」

男は再び泣き出しそうな顔をした。そして何か言おうとしたが、口がぱくぱくと動いただけだった。

「行こうか」

そう言ってキノがエルメスに跨ろうとした時、男は自分の鞄に手を突っ込み、中からハンド・パースエイダーを取り出した。中折れ式のフレームにシリンダーが並列した、十六連発リヴォルバーだった。

男はそれを取り出したが、取り出しただけだった。キノの背中に向けるどころか、分厚い引き金に、人差し指と中指をかけていなかった。

「それでボク達を、今度は脅迫するんですか？」

キノが首と視線だけ男に向けながら、淡々とした口調で訊ねた。キノの右手は、右腿のホルスターに静かに伸びていた。

男はしばらく、両手で抱えるようにして持つ、自分のパースエイダーを見ていた。そして首を何度も横に振り、もがいた。

「いいや、駄目だ駄目だ駄目だ！　これを使ったら、私はあの愚かな王やその取り巻きと一緒になってしまう。暴力で自分の考えを押し通そうとするのは間違いだ！　間違いなんだ！　愚かな考え方だ！　駄目なんだ！　……そう、全ての物事は、より多くの人が望む道を選ぶべきだ。それを投票で知り、総意として平和的にその道を選ぶ。それこそが人が歩むべき、そして致命的な間違いを起こさない唯一の道だ！　そうだろう？」

男は力なく、パースエイダーを下ろした。男がそれを折って開けると、弾丸は一発も入っていなかった。

キノが振り向いた。ほんの少しだけ微笑んでいる。

そして言った。

「ボク達にそんなことを聞いていいんですか？　もしボクとエルメスが、『それは違う。あなた間違っていますよ』って言ったらどうします？」

男ははっとして、パースエイダーを落とした。がしゃっ、という音が響くと同時に、男の顔は蒼白になって、歯をがちがち鳴らしながら震え出した。

それからしばらくして、彼は体の奥から勇気を絞り出したように、力の限り叫んだ。

「い、行ってしまえ！　お、お、お前らなんか、ど、どっか行ってしまえ！　いなくなれ！この国からでてで、出ていけ！　消えろ！　二度と戻ってくるな！」

「そうします」「そうするよ」

キノはエルメスに跨り、エンジンをかけた。

やかましいエンジン音が響く。

「逃げるよ」

キノは小さくつぶやいて、エルメスを発進させた。

走り去り際にエルメスがぼそっと言った言葉は、

「さよなら王様」

男には聞こえなかった。

男はモトラドが走り去るのを、見えなくなるまで見ていた。右手には、たった今弾丸を込め終えたパースエイダーを持っていた。今にも発砲しそうなほど握りしめていた。

男が叫んだ。

「お前らあ！　もし戻ってきたら絶対に撃ってやる！　殺してやるぞ！」

男はモトラドが消えた先をずっと、睨みつけ続けていた。

旅人は戻ってこなかった。


モトラドは、しばらく草原の道を走った。そして止まった。キノがゴーグルを外す。その視線の先で、道が二つに分かれていた。

キノはエルメスから少し離れると、コンパスで方角を確かめた。一つは西南西へ、もう一つは西北西へ延々延びている。大草原の向こうには地平線しか見えなかった。

「どっちへ行く？」

エルメスが聞いた。キノは、自分で要所要所のルートだけを書いて作った地図を見ながら、不思議そうにつぶやいた。

「おかしいな、この道は一本のはずだけど」

「それ、誰が言ったのさ？」

「ずいぶん前に会った商人。ほら、カンガルーとパンダを連れた」

キノがそう言うと、エルメスはからかうような口調で、

「ははあ、かつがれたかな。善良なキノ君は」

「いいや、ここまではあってるよ。さっきの国から西へ向かって道なりに行けば、水が紫色(むらさきいろ)の湖があって、その後大きな国に出るはずなんだ。この二つの、どちらかが正解だ」

そう言うと道にもう一度目をやった。

「右かな、道の幅が太い」「左でしょ、道の土が硬い」

キノとエルメスが同時に言った。

「…………」「…………」

そして双方しばらく黙る。

ややあってキノが、

「分かった。左に行ってみよう」

「えっ？」

「なんだよ、『えっ？』て？」

エルメスが質問に正直に答える。

「キノが道をこんなにすぱっと決めるなんて。いつもはお腹がすくまで悩むくせに。一体(いったい)どういう風の吹き溜(ふきだ)まり？」

「……吹きまわし？」

「そうそれ」

そう言ってエルメスは少しだけ黙った。

「で?」

キノはうーん、と小さくうなってから、

「ここで食料を減らすより、まあ、とりあえず行ってみようと思ってさ。それに暑いし。エルメスだって、走ってる方がいいだろ」

「そりゃあそうだけど……。間違ってたらどうするのさ?」

エルメスが不安げに言った。キノは遠くを見ながら、

「そうだな。しばらく走って湖に当たらなければ、もしくは途中で道が向きを変えたら、素直にここまで戻ってくる。運良く誰かに会ったら、訊ねる」

「なるほど、物は試しだね。そのアイデアに賛成。そうしよう」

エルメスがそう言うと、じゃあそういうことで、とつぶやきながら、キノは地図とコンパスをしまった。エルメスに跨り、ゴーグルをはめた。

キノはエルメスを発進させた。そして、右の道に進んでいった。

「あ? ああっ! キノぉ! だましたな!」

エルメスが叫んだ。

「人聞きの悪い。だましてなんかないよ。物は試しなら、どっちに行ったっていいじゃないか。違うかい?」

「ずるーっ！　だからって右に行くことはないじゃんかぁ！」

エルメスの正当な抗議を無視しながら、キノはアクセルをさらに開けた。

第三話

「レールの上の三人の男」

— On the Rails —

第三話　「レールの上の三人の男」
—On the Rails—

そこは巨木の森だった。

切り株がダブルベッドになりそうなほど太い木々が、まるで神殿の柱のように、しかしこれといった法則性はなく点々と立ち並んでいた。

見上げると緑しか見えない。地上二十メートルほどから始まる枝と葉が、隙間無く空を埋め尽くしている。かすかにしか日が当たらないため、地面にはまったく草が生えていない。黒く湿った土が、どこまでも続いているだけ。そこは黒と緑に挟まれた、自然が作り出した不自然な空間だった。

「ボクは森の中を走るのは、あまり好きじゃない。なんでだか分かるかい？　エルメス」

巨木のそばに立つ、十五、六歳ほどの髪の短い人間が言った。

痩せた体に黒いジャケットを着て、腰をベルトで締めていた。ベルトは太いが、ウエストは細い。右腿と、腰の後ろにホルスターがついている。中にはハンド・パースエイダー（注・パースエイダーは銃器のこと。この場合は拳銃(けんじゅう)）が収まっていた。

すぐそばには、一台のモトラド（注・二輪車。空を飛ばない物だけを指す）がセンタースタンドで立っていた。後部(こうぶ)座席はなく、荷台になっている。そこにはやや汚れた鞄(かばん)が縛(しば)りつけられていた。モトラドのエンジンはかかっていて、リアタイヤは空転していた。

「毛虫かい？　キノ」

エルメスと呼ばれた、そのモトラドが返事をした。

「違うよ。……まあ、それもあるけど。正解は、森の中だと進むべき方角を簡単に間違えやすいからさ。西に進んでるつもりで、いつの間にか南を向いてたりする。太陽が見えないのも辛いね」

キノと呼ばれた人間はそう言いながら、小さな鍔(つば)と、両耳を覆(おお)うたれのついた帽子をかぶった。

「進むべき方角、か」

「そうさエルメス。ボクらは真北に行けば、この巨大な森は終わる。そうすれば道に出る、はずだ」

「ハズね」

キノは胸のポケットからコンパスを取り出して、エルメスから少し離れて真北を確かめた。

「行こうか」

キノは一度後ろを振り返って、何も残していないか確認した。エルメスにくくりつけた荷物と、その上にくくりつけたコートが落ちないかも確認する。

グローブをはめてエルメスに跨ると、前に体重をかけてスタンドを外した。同時にクラッチを切る。少し走ってブレーキの利きを確認した。最後にゴーグルをかけた。

キノはエルメスを発進させた。

そしてそれほど走らずに止まった。

キノはエルメスからおりて、すこし離れた後、コンパスで方角を確認した。

そして飛び乗って、しばらく走って、止まって、少し離れて、そして方角を確認する。キノは同じことを何度も繰り返した。

「ああ面倒くさい」

キノはそうぼやきつつも、手を抜かずにきちんと確認作業を続けた。

「ご苦労さま」

キノが百八回目の方角確認を終えて走り出すと、進行方向の黒と緑の間に、白線が混ざった。やがてそれは上下に広がって、明るい光の帯になった。

キノはスピードを緩めていった。そして明るさに目が慣れた頃、最後の一本の脇を通りすぎて、モトラドは巨木の森を抜けた。

森の北側の終わりに、道はなかった。

キノの前には、うっそうと茂る普通のジャングルしか見えなかった。

「道なんかないよ。方角間違えたかな?」

エルメスがつぶやいた。

「いいや……、たぶんこれでいいんだ。ほら」

キノはエルメスに下を見るように促した。

茂る草の間に、何か細くて赤茶けた線が見えた。少し離れてもう一本あった。平行に並んでいるそれは、

「レールか! 線路だ!」

「ご名答」

キノは地面を蹴飛ばして、エルメスをゆっくりとバックさせた。

「道を教えてくれた人が言っていた、『モトラドなら行けるだろ。そのうち太い道に出るよ』っていうのはこれだったんだ。ジャングルを抜ける道として使ってる人がいるんだろう」

「なるほどね。でも汽車は来ないのかな?」

「これだけ草が生えて、レールはさびさびだ。もう使ってないと思う。……よ、っと」

キノはエルメスの前輪を、レールの間に入れて西を向いた。よく見ると線路に沿って同じ草がきれいに生え、まるでジャングルの中に緑色の道があるようだった。

「こりゃいいや。少なくとも、『進むべき方角』を間違える心配はないね、キノ」

キノは頷くと、エルメスを発進させた。レールに前輪がはじかれないように、それだけ注意して走る。あまりスピードは上げられなかった。

逞しく伸びる草を踏みつぶしながら、キノとエルメスは走り続けた。

そして太陽が一番高く昇る頃、一人目の男に出会った。

最初に気がついたのは、エルメスだった。


ジャングルの中の緩やかなカーブを抜けた途端、エルメスが、

「誰かいるよ」

短くそう言った。

キノも長い直線の一番先に人影を見つけて、ブレーキをかけた。

ゆっくりと近づいていくと、男が一人、しゃがんで何かをしていた。彼は一瞬だけ顔を上げた。彼の後ろには、汽車と同じ車輪がついたリヤカーが一台、荷物を満載して止めてあった。

キノは男の少し手前でエルメスを止めた。エンジンを切って、エルメスからおりた。

「今日は」

キノが挨拶をして、男は立ち上がった。

背の低い老人だった。彫りの深い顔をしていたが、顔中皺だらけで、小さなグレーの目を

持っていた。

白髪がほとんどの髪は長く、髭も伸び放題だった。黒い小さな帽子をかぶっていた。服は同じく黒の、そしてぼろぼろの、しかし元はしっかりした造りに見えるシャツとズボンで、あちらこちらにつぎはぎがあった。

「やあ。旅人さん」

老人はそれだけ言った。

キノはさらに老人に話しかけようとした。そして、あることに気がついて、

「あっ！」

驚愕のあまりかなり大きな声を上げた。エルメスもほぼ同時にそれに気がついて、そして何も言えなくなった。

老人がゆっくり振り向いて、キノとエルメスと同じ物を見た。そしてゆっくりと頭を戻して、自分を見ている若者に、何気なくこうつぶやいた。

「ああ。わしがやっとるんじゃよ……」

キノが一瞬、老人を見た。そしてもう一度それを見て、つぶやいた。

「信じられない……」

キノとエルメスの視線の先は、レールだった。そしてそこに、あれほど茂っていた草は一本も生えていなかった。きれいに敷き詰められた砂利と、恐ろしいくらい等間隔で並べられた枕

木が見える。

　そして二本の鉄は、まるでたった今工場から送られてきたかのようにピカピカだった。太陽の光を受けて、上も横も鮮やかに黒光りしていた。それがキノに見える限り、ずっと続いていた。

「悪いが、あのリヤカーは簡単にはどかせられんでな。すまんが旅人さん。モトラドさんを一旦レールから出してくれんかの？」

「えっ？　あ、はい。もちろんそうします」

　キノはあわててそう言った。再びしゃがみ込んだ老人に近づいて、軽く頭を下げながら訊ねた。

「あの、お伺いしたいことがあるんですが……。よろしいですか？」

「何かな？　わしに分かることなら」

「あの、あなたが、全部……、草を取ってレールを磨いて、全部一人でやったのですか？」

　キノが後ろのレールを手で指し示しながら聞いた。

「ああ。それが仕事なんじゃな」

　老人はこともなげにそう言った。

「仕事、ですか？」

「ああ、そうじゃ。もうずっとこれをやっとる」

　そう言いながら老人は、自分の足下に生えている草をむしっていた。

キノはリヤカーを見た。荷物は老人の生活用品らしかった。キノはエルメスに一度振り返り、おそらくはエルメスも知りたがっていることを聞いた。

「ずっととは、どれくらいですか？」

「五十年ほどじゃ」

老人はぼそっと答えた。

「ごじゅうねん？」

エルメスが大声で聞き返した。

「正確にゃあ分からないけど、たぶんそんくらいじゃ。わしは冬だけ数えたから……」

「……五十年間、ずっとレールを磨いてこられたのですか？」

キノが聞いた。

「あ？　ああ。わしは十八の時に、鉄道会社に入ってな。その時に、今は使ってないレールがあるけれど、そのうち使うかもしれないからということで、できるだけ磨くように言われたんじゃ。まだ止めろと言われてないのでな、こうして続けてるんじゃ」

「お国には、一度も戻っていないのですか？」

「ああ。わしにはその頃すでに妻と子供がいてな。あいつらを何としてでも、食わしていかにゃあいけなかったんじゃ。今どうしているかのう。わしの給料は出てるはずじゃ。暮らしには困っとらんとは思うが」

「…………」

キノとエルメスは、何も言えずにただ立っていた。

「旅人さんは、何処に行かれるんじゃ？」

老人は、何気なくそう訊ねた。

光り輝く二本のレールの間を、モトラドが走っていた。

キノとエルメスは日の出から走り続けていた。小川を見つけた時だけ少し休憩し、水をくんだ。

線路はジャングルの中を、緩やかにうねりながら続いていた。灰色の砂利が道を作り、キノとエルメスを導いていた。

「昨日のお爺さんさまさまだね」

エルメスが今日何回目かの台詞を言った。草が取られ、空が映るほど磨き上げられたレールのおかげで、昨日よりはるかに走りやすかった。枕木からくる規則的な振動を感じながら、キノとエルメスは走り続けた。

キノがそろそろ空腹を覚えてくる頃、二人目の男に出会った。

最初に気がついたのは、キノだった。

かなり急なカーブを抜けて、キノが急ブレーキをかけた。エルメスもすぐに、レールの上にリヤカーが止めてあって、そばに男が一人いることに気づいた。

男が驚いたように振り返って、持っていた長い棒のような物をリヤカーに立てかけ、止まってくれと言うように手を開いて見せた。

キノは男の少し手前でエルメスを停止させ、エンジンを切った。エルメスからおりた。

「今日は」

キノが軽くお辞儀をした。

「ああ、今日は。旅人さん」

男は老人だった。背はキノよりも高く、痩せてひょろっとしていた。ほんの少し口髭を生やしていた。禿げ上がった頭に、帽子をちょこんと乗せていた。

昨日会った老人に似た、黒い上下お揃いの服を着ていた。それはやはり、あちこちつぎはぎが当ててあった。

キノはさらに老人に話しかけようとした。その時にエルメスがあることに気づいて、

「キノ！　レールが！」

そう叫んだ。レール？　とキノが訝って、少し体を傾いだ。そしてリヤカーの向こうで、輝くレールがぷっつり切れていることが分かった。枕木もなかった。砂利だけが、ジャングルの先へずっと続いていた。

「レールがなくなってる……」

「ああ。わしが外した」

キノのつぶやきに、老人が答えた。それから呆然と立っているキノに、

「すまんがのう、リヤカーは退けられないきに。そちらさんでよろしゅう頼む」

そう言って、先端がほんの少しだけ折れ曲がっている、長い鉄棒を手に取った。荷物を満載したリヤカーの後ろに回った。

キノは急いでエルメスのエンジンをかけ、レールを乗り越えて、同じくリヤカーの後ろに回った。

老人は片側のレールの下に、鉄棒の先を差し込んだ。そして、

「せいっ」

かけ声と共に、棒に体重をかけた。レールは外れ、砂利の盛り上がりの脇へ、転がって落ちた。

キノがよく見ると、その先にも、外れて転がったレールがあった。それらはジャングルの赤い土にまみれて、すでに輝いてはいなかった。老人が反対側のレールも落とした。

「お伺いしたいことがあるんですが……」

キノが訊ねた。老人がキノに振り向いた。

「あの、レールを外しているのは、どうしてですか?」

「仕事でのう。一人でずっとやっとるよ。枕木も取っ払うきに」

エルメスが、

「なんかいやな予感」

キノだけに聞こえるように言った。

「ずっととは、どれほど……、ですか？」

「五十年、経ったかな？　ちとよく分からん」

「…………」

「わしは、十六の時に鉄道会社に入社して、使ってない線路を、もういらないから取り壊すように命令されて、初仕事じゃき、張り切ってやっとるんよ。まだ止めろと言われてないしのう」

「国には帰ってないの？」

エルメスが聞いた。

「ああ。わしには弟が五人もいてなあ。あいつらの食いぶちを稼ぐためじゃ。休んでなんかはおれんて」

「そうですか……」

キノはそう言った後、何気ないそぶりで聞いた。

「レール、長年使ってないわりには、ずいぶんきれいですよね？」

すると老人は、

「ああ、ずっとじゃ。不思議じゃのう。しかし、おかげで外しやすくてええよ」

「…………」

キノとエルメスは、何も言えずただ立っていた。

「旅人さんは、何処（どこ）へ行かれるのかな？」

老人は、静かにそう訊（たず）ねた。


灰色の砂利（じゃり）の道を、モトラドが走っていた。

キノとエルメスは、日の出から走り続けていた。休憩（きゅうけい）はほとんど取らなかった。

道はジャングルの中を、比較的まっすぐに続いていた。脇には外されたレールと、掘り出された枕木（まくらぎ）が転がっていた。レールを固定していたスパイクが、ある程度おきに山積みされていた。

「走りにくい……」

キノが今日何回目かの台詞（せりふ）を言った。

枕木がない砂利道はタイヤのグリップが悪く、カーブで少し傾けるだけで滑った。キノはそれほどスピードを出さず、神経を使いながらハンドルを握っていた。

エルメスがそろそろ休もうと提案しようとした時、三人目の男に出会った。

キノとエルメスが、同時に気づいた。

まっすぐ続く砂利道の向こうに、人影が見えた。

キノがすぐにアクセルを戻したので、エルメスは何も言わなかった。

ゆっくりと近づいていくと、男が一人、砂利の上に座って休んでいた。彼はキノとエルメスに気づくと、大きく手を振った。

キノは男の少し手前で、エルメスを止めた。エンジンを切っておりた。

「今日は」

「おう！　旅人さん」

男が立ち上がりながら返事をした。

老人だが、たくましい男だった。上半身裸で、腕にも肩にも筋肉が盛り上がっていた。顔に刻まれたたくさんの皺を見なければ、働き盛りの中年と言ってもよかった。昨日と一昨日の老人と同じ、黒いズボンをはいていた。裾はぼろぼろだった。

キノはさらに老人に話しかけようとした。そしてエルメスとキノが同時に、あることに気づいて、

「レールがある……」「レールがある……」

同時につぶやいた。

老人の後ろの先に、荷物満載のリヤカーが一台あった。そしてそこから、レールは始まって、ジャングルの向こうに消えていた。

老人が、そばに置いてあった巨大なハンマーをかつぎながら、

「おう。俺がやった」

元気にそう言った。

「直して、いるんですか？」

「直してるんだ。列車が走れるようにな。枕木を敷いて、レールをのっけてスパイクで止めるんだ」

「一人でやってるの？」

エルメスが聞いた。

「なに、慣れりゃあどうってこたないよ。材料はここに全部ある。ほれ、ほれ、ほれ」

老人は転がっている枕木とレールとスパイクを指さした。

「とてもいやな予感」

エルメスが小声でつぶやいた。

キノが訊ねた。

「あの、お仕事、ですか？」

「もちろんそうさ。ずっとさ」

老人は笑いながらそう答えた。

「ずっと、とは……」

「……かれこれ五十年になるかな？　ちと計算苦手でね」

「…………」

「俺が十五の時かなあ、鉄道会社に就職したんだ。そしたら、前にあった線路が、ひょっとしたらまた使われるかもしれないと言われて、直すように頼まれたんだ。まだ止めろと言われてないからな」

「お国には、帰られてないようですね？」

キノがまるで確認するように聞いた。

「まあね。両親が病気でね。働けなくなったから、俺が三人分稼がないと」

「そうですか……」

キノがそう言った後、エルメスが何気ないそぶりで言った。

「これからもお仕事頑張ってね」

「おう。ありがとよ」

キノが無言で、エルメスのエンジンをかけた。

「旅人さんは、何処へ行くんだい？」

老人はにやっと笑いながら、そう訊ねた。

第四話
「コロシアム」
— Avengers —

第四話　「コロシアム」
—Avengers—

森と川の境目に道はあった。

うっそうとした森が、清流によってすっぱりと分けられている。堤防の役目を果たしているらしい盛り土が、そのまま道だった。水面よりかなり、森の地面よりやや、道は高い位置にある。

道の土はかなり硬く、ほとんど平坦にならされていた。幅も広い。普段からたくさん車両の往来があるらしい。

しかし今は、一台のモトラド（注・二輪車。空を飛ばない物だけを指す）が、猛スピードで疾走しているだけだった。

モトラドの運転手は、今まさに地平線から姿を現した眩い太陽を背にしていた。長い影が進行方向に伸びている。

その運転手の体躯は細く、そして影も長く細い。茶色のコートを着ていて、裾が長いため、余った部分を両腿に巻きつけてとめていた。頭には小さな鍔つきの帽子をかぶっている。飛行帽に似ているが、軍隊の制帽にも似ている。風圧で飛んでいかないように、耳を覆うたれを顎の下で結んでいた。そしてフレームが銀色で、ところどころはげているゴーグルをかけていた。

森の朝の湿った空気が、細身で精悍な顔の上を叩いていく。

「いい道だね！　だけどスピードの出しすぎだよ！」

モトラドが、運転手に向けて叫んだ。

「何言ってるんだ！　エルメス、お前急に老けたのかい？」

そう叫び返した運転手は、アクセルをまったく緩めなかった。ギアはトップに入ったまま。モトラドのエンジン音は、マフラーを落としたのではと思うくらいうるさく、振動も、どこか壊れているのかと疑うほどに激しい。

モトラドには後部座席はなく、キャリアになっていた。そこには大きな鞄と、丸めた毛布が縛りつけられていた。両脇には、さらに荷物を積むための箱が取りつけられ、かなりの重装備だった。そしてそれら全てが、猛スピードの中でびしびしがたがた揺れていた。ネットに引っかけられた、小さな銀色のカップが踊り狂っていた。

道がほんの少し、緩やかに盛り上がっていた。運転手はスピードを落とさずにそこへ突っ込み、モトラドを跳ねさせた。

鉄の塊が浮いて、数メートル空中を進み、ばきゃ！　と着地した。

「ぎゃあ！」

エルメスと呼ばれたモトラドが悲鳴を上げた。運転手はここでやっとアクセルを緩めた。先ほどの半分まで速度を落とすと、興奮が収まらない様子で言った。

「いやあ、エルメス。大丈夫かい?」

エルメスが憤慨しながら答えた。

「『だいじょうぶかい?』じゃないよ、キノ! フレームが折れたかと思った!」

キノと呼ばれた運転手はギアを一つ落としながら、

「大丈夫、折れてないよ。それより、百まで出せたよ。久しぶりにね。荷物満載でこれは大したものだ。誇っていいよ、エルメス」

こともなげにそう言った。

「知ってるかい、キノ。モトラドの常識では、最高速度っていうのは、『出したら壊れる速度』のことなんだよ」

エルメスが冷静に反論した。

キノは少しだけ興奮が引いたのか、落ち着いた口調で、

「悪かったよ、エルメス」

タンクを左手で二回、軽く叩いた。

「何急いでいるんだか」

「だけどたまには、自分の最高の実力を出すべきだ。そうしないと、知らない間に腕はにぶる

ものさ」

「ああ、そうですか」

エルメスはちっとも感心しないで、まるで台詞の棒読みのように言った。

キノは嬉しそうに、

「そうさ。そしてもうすぐ次の国に着く」

「キノのもうすぐは信用できない」

エルメスがそうぼやくと、キノが左手で前をさしながら、

「ほら、あれ」

キノの指さす方はなだらかな下り坂になり、その先に城壁が見えてきた。そこは浅い盆地になっていて、濃紺の森の中にグレーの壁がぐるりと町を取り囲んでいた。中には建物が乱立し、中央には巨大な楕円が見える。

「前からぜひ訪れてみたかった……」

キノはうっとりとした表情になった。

エルメスは、そんなキノにも、目ざす国にもまったく興味がなさそうな様子で、

「あそこに着いたら暗くて涼しくて、適当に湿り気のあるところで休みたいよ」

そうつぶやいた。

「何ですって?」

コートを羽織ったままのキノが大声で聞き返すと、門番の若い兵士は、

「何度でも言ってやるよ。あんたは入国した。そうすると、自動的に参加資格を得るんだ。これは決定事項だ」

そう言いきった。キノが驚きと呆れの両方を顔に出しながら、

「するとボクに、その勝負に参加しろっていうんですか?」

「そうだよ、坊や。そんなことも知らないでこの国に来たのか?」

兵士はキノをまるっきりバカにした様子で言った。

キノが露骨にムッとした表情を作る。そして強い口調で、

「『坊や』はやめてくれませんか。ボクはキノです」

「何でもいいよ。参加は決定だ。ちなみに出なかった場合、どうなるか知っているか?」

兵士はにやにや笑いながら聞いた。キノが、

「知るもんですか」

と言うと、兵士はさぞかし嬉しそうに、

「じゃあ教えてやろう。一生奴隷としてここで暮らすんだ。戦わずして逃げた臆病者としてな」

「何ですかそれ?」

「決まってるじゃねえか。この国のルールさ。ちなみに破ったら死刑だ」

キノとエルメスは、たどり着いた国の門で入国手続きをした。それが終わった時、門番の兵士は、あんたの番号は二十四番だと言った。何のことだか分からないキノに、兵士は呆れ顔で説明を始めた。

この国では三ヶ月に一度、市民権獲得のための勝負がある。この国に住みたい者が、コロシアムで戦い、最後まで勝ち残った一人が、新しい市民になれる。

勝負は三日間。初日の今日は第一、二戦が。明日は第三、四戦が行われる。三日目は、真昼から最終戦が行われる。武器は何を使っても自由。ただし他人の勝負を見ることはできない。

一方が降参を申し出て、相手がそれを認めた時だけ降参することができる。それ以外は、先に動けなくなった方が負けとなる。たいていの場合、動けなくなったとは、殺されたことを意味する。勝負から逃げようとすると、敵前逃走犯として発見次第殺される。

勝負は住人ほとんど全てが、コロシアムに押し掛けて見学する。当然国王も専用席で観覧する。見学する人間は全て、勝負中に流れ弾などに当たって怪我を負っても、もしくは死んでしまっても一切の文句は言えない。

最後に残った一人には、国王から直々に市民権を示すメダルが渡される。その時に、何か一つ、この国に新しいルールを足すことができる。それは既存のものに矛盾していなければ、何でもいい。これは市民が国の運営にタッチできるということらしいが、実際にはただのご褒美で、今までの勝利者のほとんどは、『これから俺様(おれさま)の住む家がなくてはならない』などといった、身勝手(みがって)な欲求を満たすためのルールを足していった。

そして今日が、その最終受付日だった。それまでに門をくぐった人間は、誰(だれ)であろうと勝負の参加資格を自動的に得る。

「どうすんだよ、参加か？　それともこのまま奴隷(どれい)小屋に直行するか？　キノ君よ。もし奴隷になるのなら第一号だぜ」

兵士が言った。いつの間にか他(ほか)の暇(ひま)そうな兵士達が集まっていた。どの兵士もにやにやと下品(げひん)な笑いを浮かべている。これ見よがしに、持っているパースエイダー（注・銃器のこと）を、がちゃがちゃ無理に音が鳴るように動かした。

「このイベントは、いつから始まったのですか？」

キノが他を無視しながら、最初に会った一人に聞いた。

「七年ほど前からさ。それにしてもイベントとは恐れ入る。栄えある市民権を何だと思っているんだ」

「栄えある市民権？」

キノが一度だけその兵士を睨(にら)んだ。

「ボクは、この国が緑に囲まれた、森の恵みの豊かなところだと聞いて来たんですけどね。そしてそこに住む人々は謙虚で、質素に生きている素晴らしい人々だとも」

別の兵士が後ろから口を挟んだ。

「おいおい、今でもそうさ。勝手に歴史を作るなよ。ここでは働かなくても、食い物はたくさんある。この世のパラダイスってやつだ。お前なんかにはもったいないな」

キノは落ち着いた口調で、そこにいる全員に対して聞いた。

「七年前に、何があったんですか？」

若い兵士は仲間に振り返り、どうしたもんかね、と肩をすくめながら首を傾けた。その中の、中年の兵士が、特別に教えてやろう、と身を乗り出して、

「王が替わったんだよ。七年前に偉大なる今の王様が、昔の面白くない王をぶっ殺して、この国をエキサイティングにしたのさ。それからだ。この国に住みたいって奴が山ほど押しかけてくるようになっちまった。だけどそんなゴロツキ連中全員を、市民にするわけにはいかないからな。だからそいつらをコロシアムで戦わせて、俺達を楽しませることができれば、一番強かった一人くらいは入れてやろうって訳だ。後の奴は墓場行きだ」

そう言うと、キノに顔を近づけて、

「納得したかい？　坊や」

キノは表情をまったく変えずに、

「ええ、よく分かりました。もう一つ質問があります」

その兵士は面白くなさそうな顔をして、なんだよ、とつっけんどんに返した。

「今まで勝負に参加したのは、全員が殺し合いを納得して来た人達でしたか？　それともボクのように、事情を知らずに来た旅人もいましたか？」

それを聞いた兵士達がぷーっと吹き出して、やがてげらげら笑い出した。一人が、

「へへへ、たまにいるんだよ、お前みたいなバカが。でもって俺達が何も言わずにしれっとした顔で入国させると、奴らは最初の勝負でみんなぶち殺されちまう。泣きながら降参しますって言ったたって、相手がハイそうですかって認めると思うのかね。前も夫婦で馬車で旅しているとかいうのが迷い込んで、運良く一回戦でお互いに当たってさ。奥さんは降参して助かっても、旦那が次でぶっ殺されてやんの。あれは傑作だったなー！」

彼の言葉の後半は、仲間の兵士達への、あんな面白いことがあったなと思い出し笑いを誘うためのものだった。彼らは笑い転げた。そして誰も、キノの双眸がかなり細くなったことに気がつかなかった。

エルメスは、この件はモトラドには関係ないと言われて、最初からずっと黙っていた。そのエルメスには、キノが珍しく猛烈に怒っているのが分かった。

となると、この先キノが何を言い出すかも分かった。

「案内してください」

「やっぱりね」

エルメスがひとりごちた。

バカ笑い中の兵士の一人が、

「え、何か言ったか？」

そう聞きながらキノを見た。そして自分達を睨んでいるキノの表情が、氷のように冷たいので驚く。

「ボクを案内してほしいと言っているんです」

キノが兵士を睨みつけながら淡々と言う。

兵士達から笑いが消え、全員がキノを見ていた。しばらく沈黙が続いた。それから兵士の一人が、馬鹿にした口調でキノに訊ねた。

「おいおい坊や、本気で戦うつもりかい？　勝てるつもりかい？　武器はあるのかい？　ひょっとしてその可愛いお顔で、相手を魅了するっていうのかい？　そんなシュミを持っているのは、そうそういないぜ」

それを聞いた兵士達が笑い出そうとした時、轟音が響いた。壁に掛けてあった、六個のヘルメットが全てはじけ飛んだ。部屋中に、白い煙が立ち込めた。

兵士達には、しばらく何が起きたのかまったく分からなかった。そして、床に落ちたヘルメットの回転と耳鳴りが収まる頃、ようやくキノが右手にハンド・パースエイダーを持っていることに気がついた。キノが『カノン』と呼ぶ、六連発・リヴォルバータイプ。

「こんなので、どうです？」

キノはそう言いながら、全発撃った『カノン』を、右腿のホルスターにゆっくりとしまった。

「てめえ、ふざけるなよ！」

ようやく事態が飲み込めた兵士のうち、最初に会った若い一人がキノにつかみかかろうとした。そして次の瞬間、額にパースエイダーを突きつけられていた。キノが左手で抜いた、二二LR弾を使用する、細身の単発自動作動パースエイダーだった。

体も表情も凍りついた若い兵士と、唖然とする他の兵士達に、キノがゆっくりと言った。

「ボクは勝負に参加します」

「これはひどいや」

門をくぐって、開口一番エルメスが言った。

キノとエルメスの視界に入ったのは、ゴミの山だった。そこはゴミの処分場、ではなく、町中にゴミがあふれているのである。建物も通りも薄汚く、ろくに手がかかっていないのが一目で分かる。住人の何人かは、汚い格好で路上で寝ていた。早朝で誰も活動していないのか、町は静かだった。やけに太った犬が数匹、ゴミの中の残飯をあさっていた。そして通り全体が臭かった。

「この町にして、この人間ありだね、キノ。いや、逆かな」

案内している兵士達に何もかまうことなく、エルメスは言い放った。キノは黙ってエルメスを押しながら、兵士の後をついていった。

しばらく汚い通りを歩くと、コロシアムに到着した。遠くから見えた、あの楕円（だえん）の建物だった。観客席の雛壇（ひなだん）は高いが、端（はし）の方であちらこちらが欠けて、中の鉄棒が見えていた。最上段がゆがんでいる箇所もある。ひどい安普請（やすぶしん）だった。

「誰がいつ建てたか知らないが、まあ酷（ひど）い建物だね。デザインも悪（あく）趣味」

エルメスがまた正直な感想を言った。

コロシアムの地下に案内されたキノは、そこが参加者の宿舎だと説明された。宿舎と言っていいのか、それは牢獄（ろうごく）よりはまし、といった部屋だった。中にはバネの飛び出したぼろいベッド、上の方についた小さな窓、さすがに水が豊かな国らしく洗面台と水洗トイレ。そこは暗くて涼しくて、適当に湿気のあるところだった。

「どうしようもない国だね」

案内役が去った後、エルメスがキノに言った。キノはコートを脱いで丸めた。その下には黒いジャケットを着ていて、腰を太いベルトで締めていた。

ベルトにはポーチがいくつかついていて、右脇（みぎわき）には、腿（もも）の位置で『カノン』のホルスターを吊（つ）っていた。腰の後ろにはもう一丁（いっちょう）の、キノが『森の人』と呼ぶパースエイダーのホルスターがある。『森の人』はグリップを上にして収まっていた。

「昔は違った。どんな旅人も訪れたくなる、すてきな国だったらしい」

キノはベッドに腰掛け、左手で『森の人』を抜きながら淡々と言った。弾倉を落とす。安全装置を外してスライドを動かして、薬室の一発を取り出した。

「それで喜んで来てみれば、これか。よっぽど前王とは違った男が王様になったみたいだね」

「そうかもね」

キノはエルメスから荷物をおろした。『森の人』の空弾倉を五つ出して、それぞれに弾を詰めていった。

「本気なのかい、キノ?」

「何が?」

キノは『カノン』を取り出した。中央にある押さえパーツをずらし、バレルを含む前半分をごっそり抜き取った。

「勝負だよ。キノが怒ってるのも分かるけど、こんなイカれた国につきあうこともない。初戦で適当に相手を痛めつけてさ、相手が降参しようとした時にこっちが降参するんだ。そうすれば、こんなところとはおさらばさ」

「ああ、そういう手もあるな」

キノは『カノン』のシリンダーを抜くと、装弾されていないシリンダーをポーチから二つ出

した。一つを『カノン』にはめながら、

「でもそれは、最後の手段にしよう」

「やっぱり真面目に参加するつもり？」

「ああ、とりあえず行けるところまではね。それに三日で全てすむのなら、最後までつきあってもいい」

キノはシリンダーに空いた六つの穴に、とろりとした緑色の液体火薬を、注射器のような物で流し込んでいった。それからフェルトのパッチを入れて、弾丸をはめた。

『カノン』の前半分を元にはめ直した。バレル下にあるロッドは下に折れて、それに連動した短い棒が、てこの原理でシリンダー一番下の弾丸を押し込む仕組みになっている。

キノはあまり詰めすぎない程度に押し込んだ。そしてこれをシリンダー二つ分繰り返した。押し込んだ先に、グリースをたっぷり塗った。発砲した際に、隣からの火が飛び移るのを防ぐためだ。

今度はシリンダーの後ろ側、ハンマーが叩く部分に小さなキャップをかぶせた。これは雷管と呼ばれ、叩かれて発生する火花が液体火薬に引火する。一つ一つ手で詰めていくのではなく、まず缶に入った雷管を細長い専用のローダーに入れる。そしてローダーの先端を、シリンダーのおしりに当てていく。

真剣な表情でパースエイダーの準備をするキノに、エルメスが言った。

「やれやれ。一度決めるともう止められないっ、と」

キノは『カノン』の作動をかちゃかちゃと確認していった。思い出したようにふっと笑って、そしてこう言った。

「たまには、自分の最高の実力を出すべきだ。そうしないと、知らない間に腕はにぶるものさ」

それを聞いたエルメスは、

「ああ、そうですか」

台詞の棒読みのように言った。

「あれが国王陛下か」

ジャケット姿のキノは、コロシアムの中央に向かって歩きながら、観客席の真ん中に座る人間を見た。貴賓席らしいボックスで、中年の男が派手な服を着て、頭に王冠を載せている。

その王冠は質素な、それ故に威厳のある造りをしている。そして今の王の派手な服装と、まったく似合っていなかった。

王の両脇には、同じく派手な服を着た若い女性がはべっている。貴賓席にはガラスが張ってあり、光を反射していた。

「で、こちらが栄えある市民のみなさん」

キノがゆっくりと首を動かす。老若男女問わず、目の前の人殺しに興奮しきった観客で、席は全て埋まっていた。うるさい歓声が響いていた。

キノはその少し前に、順番を呼ばれて地下の部屋から出た。

エルメスは、

「どうせ見ても面白くないからいいよ。死なない程度にね」

そう言って居心地のいい部屋で休む方を選んだ。

コロシアムの中央は楕円のフィールドになっていて、壊れた乗り物や建物の瓦礫やらのジャンクが点在していた。中央には直径二十メートルほどの円形の空間があり、そこだけ何もない。

勝負はその円の端と端にお互いが立って、そして始める。

キノはそこへ歩き着く間に、辺りを丹念に見回した。

反対側から、筋肉に頭部をはめ込んだような大男が現れた。上半身は裸で、頭は剃り上げられ光り輝いている。太い鎖を持ち、その先には子供の身長ほどある巨大な鉄球がつながっていた。大男は自分の位置に着いてから、しばらく鎖を引っ張って、やっと鉄球が彼のところへ来た。そしてキノを見て、

「おいおいなんだあ？　こんなガキが俺様の最初の相手か？」

　歓声に負けない大声で言った。

「ええそうです。勝負の前に二つ聞いておきたいことがあります。まずは、この国に何しに来ました？」

　キノの質問に大男が、はあ？　と声を出した。

「この国に何をしに来たのかと聞いたんです」

「お前バカか？　お前達をぶっ殺して市民になるために決まってるだろう」

　大男は呆れた口調で言った。キノはよし、と頷いてから、

「二つ目です。降参しませんか？」

「なんだって？」

「今降参すれば、無傷でここから出られますよ」

　大男は呆れ果てて何も答えなかった。鎖をつかむと鉄球を引き寄せ、振り回し始めた。初めはゆっくりと、そしてだんだん速く。大男の頭の上で、鉄球がうなりをあげる。

　キノは肩をすくめて、そして右手で『カノン』を軽く叩いた。

　観客がやがて静まった。

　ぷわわわわわーん。

　勝負の開始を告げる、気のぬける喇叭音が響いた。

「死ねえええええ！」

ほとんど同時に大男が叫び、体中の筋肉が盛り上がった。そして鉄球が、キノめがけてまっすぐ、飛んでこなかった。それはまったく見当違い(けんとう)の方向にきれいな放物線を描いて飛び、落下地点にあった黒こげの車を押しつぶした。

「…………」

大男はしばらく何が起こったのか分からず、手元に残った鎖を見た。先をたぐり寄せると、それは見事に切れていた。

「ええーっと……」

そうつぶやいてキノを見た。キノは右手に、煙立つ(けむりた)『カノン』を持っていた。大男はなんとなく事態が飲み込めたような顔をして、鎖の先を指さしてキノに訊ねた(たず)。

「撃(う)った？」

キノが答える。

「撃ちました」

大男は次に、遠く離れた鉄球の落下点を指さした。

「だから飛んでった？」

「飛んでっちゃいましたねえ。降参(こうさん)してもらえませんか？」

キノがそう聞くと、

「すいませんそうします」

大男はすぐさま答えた。

「おやおやあ、うひゅっ。こんなガキが俺様の相手とはなあ。うひゅひゅひゅ」

夕暮れの中でキノと向かい合った二回戦の相手は、気持ち悪い笑い方を除けば、初戦の大男とほとんど同じことを言った。今度は背の高い痩せた若い男で、紫の髪がとさかのように立っていた。

手に武器はまったく持っていない。上も下もピッチリした黒い服を着ていた。そして、腹部に小さな鉄片がたくさん付着していた。

鉄片の一つは手のひらほどの長さで、幅は細い。そして真ん中でほんの少し曲がっていた。びっしり体にくっついたそれは、まるで鱗か鎧のようだった。

キノは相手ではなく、その鉄片をしばらく眺めていた。

すると男が、それを一つ取ると横に投げた。鉄片は回転しながら飛んでいき、急にターンして戻ってきた。男が左腕を後ろに回して真横につき出した。男の腕の先から左足の先まで、モモンガの羽のように、布が大きく広がった。

男は足をクロスさせて、エレガントに一歩右へ動く。戻ってきた鉄片はその布の中に吸い込まれるように当たり、くっついた。男が左手で右肩を叩き、右手で布の上から腹部を叩く。再び男が手を開いた時、鉄片は元あった腹部へひっついていた。

「うひゅひゅ。見たかあ？　俺の手製手裏剣は、全て元に戻ってくるう」

キノは軽く顔をしかめた。

それからおもむろに言った。

「降参してください。認めます」

「それはあ、イヤだねえ。きみこそ降参したらあ？　まあ、死ぬまあでえ認めてあげないけれどねえ。うひゅひゅひゅひゅ」

男が笑いながら答えた。両手でお腹を押さえる仕草をする。そして少し前屈みになって、首だけ上げてキノを睨みつけた。

キノは『カノン』を右手で叩く。

ぷわわわわわーん。

喇叭音が響いた。

その瞬間、男は右手で腹の鉄片をつかみ取ると、キノめがけて投げた。すぐ腹に手を返し、続けざまに投げつける。手が見えないほどのスピードだった。

キノは右側に走りながらよけた。すぐ脇を鉄片が回転しながら、猛烈なスピードで飛び去っていく。男は投げ続け、今度はキノの右側を狙って投げた。キノは左側にステップを踏みながら、全てをよけた。

男は全部投げず、半分ほどが腹部にくっついたままだった。腰を前後に振りながら、怪しい声で叫んだ。

「うっひょう！　今のが戻ってくると同時に、こっちの残りを投げるう！　前と後ろから、同時に飛んでくるのをよけられるかなあ！」

キノが軽く振り向くと、鉄片が空中でターンしているのが見えた。

「死なあ！」

男は叫ぶと同時に、残りを続けて投げた。

鉄片はキノめがけてまっすぐ飛んできた。

キノは軽く首を振りながら、その場にぺたんと伏せた。

「ほへっ？」

男が変な声を出すのと、

「絶対にあなたに戻ってくるのなら、絶対に地面には当たらないだろうに」

キノが独り言を言うのと、
ひゅひゅひゅひゅひゅひゅひゅひゅひゅひゅひゅひゅん！

キノの頭の上を鉄片が通過していくのが同時だった。

そして戻ってきた鉄片が男の布に収まるのと、キノが伏せたまま『カノン』を撃つのも同時だった。

轟音、そして白煙と同時に、キノの右腕が跳ね上がった。

弾丸は、男の鳩尾に一つだけ残っていた鉄片に当たった。男の腹に、その衝撃が伝わった。

「がひょび！」

男はそれだけ言うと、目と口を大きく開けたまま、一瞬硬直した。そして半分気を失いながらふらつき始めた。男がメトロノームのように揺れているのを見たキノは、右足の腿の辺りを撃ってあげた。

男は被弾の瞬間びくっと震え、腿から血を流しながら倒れた。

その上を鉄片が通過していった。


帰ってきた時、部屋は薄暗かった。キノはロウソクをつけた。

『カノン』と『森の人』をベッドの上に置き、ジャケットを脱いだ。『カノン』を分解して、新しいシリンダーをはめる。

「あ、う。なんだキノか。いつ帰ったの？」

熟睡していたエルメスが、寝ぼけた声で聞いた。

キノは『カノン』を組み立てながら、

「今さっきさ。それと今晩はここに泊まることになったよ」

「ああやっぱりね。じゃあ、また寝るから」

エルメスは睡眠に戻った。

次の朝、キノは夜明けと共に起きた。

部屋は薄暗かったが、やがて日の出と同時に手元が見えるほど明るくなった。

キノは『カノン』の昨日撃ったシリンダーを掃除して、弾丸を装填した。

携帯食料の朝食を食べた。ゆっくりと、体中の筋肉をほぐすように軽く運動をした。それからしばらく、『森の人』を振り回しながらトレーニングをして、その後『カノン』を振り回した。

さらにしばらく経って、やっと兵士に呼ばれた。

エルメスはずっと寝ていた。


「…………」

二日目最初の相手は、キノを見るなり、何も言わなかった。

背が低くがっしりした体格の、初老の男だった。茶色の髪も髭も長く、どこがその境なのかはっきりしない。顔は皺だらけだった。

薄汚れた、そしてだぶだぶのローブをまとっていた。そして何かを背負っていた。ローブはそこだけ膨らんでいる。手にはなぜか、金ぴかのトロンボーンを一つ、大事そうに抱えて持っていた。他に何も持っていなかった。

家財道具一切を背負って、裏路地で演奏して暮らすホームレス。そんな感じだった。

キノはその男をしばらく見て、それから大声で言った。

「降参を申し出ていただければ、認めたいと思います」

「…………」

男は返事をしなかった。無言のまま、右手を軽く振った。

キノは右手で『カノン』のグリップを叩いた。

ぷわわわわわーん。

喇叭音と同時に、男は猛烈な勢いでトロンボーンを構え、その先端をキノに向けようとした。

キノはやはり喇叭音と同時に、『カノン』を抜いていた。そして撃った。

弾丸はトロンボーンの先端に当たり、その向きを右へと強制的に変えた。その瞬間、本来なら音が出るはずの穴から、緩いゼリーのような、紫色の液体が発射された。そしてそれが空中で放物線を描いている時に、一瞬で燃え上がった。

炎のアーチができあがった。

アーチはトロンボーンの先から、炎が飛び移るように消えていった。そして反対側の地面に火の池を作った。

「やっぱり火炎放射器か」

キノはそう言いながら、左手で腰の後ろから『森の人』を抜いた。安全装置を外して男の頭に狙いをつける。それを少し外して撃った。

乾いた破裂音がした。スライドが猛烈な速度で往復し、空薬莢をはじき出して次弾をくわえ込む。

弾丸が男の顔の脇を通過した瞬間に、男はトロンボーンを相手に、つまりキノに向け終えていた。皺に囲まれた男の目が険しくなり、体全体にくっ、と力が入った。

そして次の瞬間、ぷぷぷぷしゅうーううう、と情けない音がして、男の右肩から紫の噴水が立ち上がった。

「?」

落ちてきた液体で紫に染まった男が呆然とする。キノは『カノン』を右手に、『森の人』を左手に持ったまま、彼に話しかけた。

「肩に隠して通っているホースを撃ったんです。小さい穴ですが、そこに圧力をかければ破裂しますよ。これで降参してもらえますね?」

「……………」

男は自分の体をしげしげと眺めた。しばらくそうしていて、それから低い声で言った。

「断る」

「あなたに、もう勝ち目はないです」

キノが『森の人』で狙いながらそう言うと、男は微動だにせずキノを睨みつけた。

「儂を殺せ」

「何ですって？」

「儂を殺せと言ったんじゃ」

キノが何か言おうとした時、観客席から叫び声がした。

「とどめだ！　そいつを殺せ！」

そして次々に、観客が叫び出した。

殺せ！　殺せ！　殺せ！　殺せ！　殺せ！　殺せ！　殺せ！　ぶっ殺せ！　殺せ！　殺せ！
殺せ！　殺せ！　そいつを殺せ！　殺せ！　殺せ！　殺せ！　殺せ！　殺せ！　殺せ！　殺せ！　いてまえ！　殺せ！　殺せ！

キノはゆっくり首と体を回転させて、狂ったように、楽しそうに叫ぶ観客達を見た。そしておもむろに、『カノン』を一発空に向けて発砲した。轟音と同時に、観客席は一瞬で静まり返った。

キノは王様が座る貴賓席を見た。

相変わらず派手な服を着た王はそこに座り、にやにや笑いながらキノを見ていた。目があったキノは、睨みながら優雅に微笑み返した。

男が言った。

「何をやっとるんじゃ？　早く儂を撃たんか。命がけの闘いにおいて勝者は生き残り、敗者は死ぬ。儂はずっとそうして生きてきた。何百人も殺してな。この勝負は儂の負けだ。だから儂は死んで、嬢ちゃん、あんたは生き残る」

キノは苦笑しながら、

「『嬢ちゃん』、は照れくさいのでやめてくださいね。ボクはキノです」

「キノ、さんか。いい名前だ。冥土の土産に覚えておくよ」

「それはどうも」

キノはそう言いながら、男にすたすたと近づいていった。やがて目の前に立ち、男の額に『カノン』を突きつけた。親指でハンマーを上げる。

カチリ。

「降参してください」

「いやじゃや」

「それでは、仕方がないですね」

キノは引き金を引いた。

ハンマーは、そえられた親指の力でゆっくりと戻った。男が怪訝そうな顔でキノを見上げて、するとキノはにこりと微笑んだ。

次の瞬間、キノはくるりと『カノン』を回転させて、自分に向いた長いバレルを握った。グリップを右横に向け、手を返しながら、グリップで男のこめかみをぶん殴った。

一瞬の早業だった。

男は何も言わず、気を失って右側に倒れた。


「こんな可愛い子が相手？　今までの相手方は一体何をしてたのかしら？」

二日目の二人目、つまり準決勝の相手は、キノに向かい合うなりそう言い放った。

長い金髪を後ろでまとめた若い女性だった。背が高く、シャープな顔立ちの美人だった。

兵隊が着るようなシャツとズボン姿。その上に小さなポーチがたくさんついたベストを着ていた。腿の位置にもポーチが、深さのある、細長い物を並べて入れるための物が巻きついていた。

彼女の左手には、一丁のパースエイダーが握られていた。木製ストックのついたライフルタイプ。ボルト・アクション式で、一発撃つごとに排莢と装弾を手動で行う必要がある。引き金の前に固定弾倉がほんの少し出っ張って見える。それ以外はスリムな、棒のようなシルエットをしていた。

「きっと油断してたんですよ」

「あはは、そうかもね。私もよく使うわ、その手」

キノは聞いた。

「貴女は、市民を目指しているのですか？」

「私？　ええそうよ。なんでだか分かる？」

キノが首を振ると、女はがぜん鼻息荒く、こう言いきった。

「この前近くに来た時にね、森のはずれでとーっても可愛い男の子を見つけたのよ！　あの子を絶対に手に入れるためよ！」

キノが呆れた。それを露骨に顔に出した。

「女の性ってやつかしら。分かるでしょう？」

「……いいえ」

「あらそう？」

キノは複雑な表情で訊ねた。

「……あの、たぶん断ると思いますけど、降参してくれませんか？」

「それは私のセリフよ」

すかさず返事が来た。

「やはり無駄でしたか……」

キノがつぶやきながら右手で『カノン』を叩く。

女はパースエイダーのボルトを引いて開けた。胸のポーチから、長い薬莢が五発止められているクリップを取り出す。それを機関部にはめて、一気に押し込んだ。クリップを外して、ボルトを閉じて初弾を装塡した。

ぷわわわわわーん。

喇叭音と同時に、二人は後ろのジャンクめがけて脱兎のごとく逃げ出していた。そしてその後ろに飛び込んで隠れた。女は屑鉄の裏ですぐに受け身を取りながら中腰姿勢になると、長いパースエイダーを振って、すっ、と構えた。

女は素早く息を吸い、少しだけ軽く吐き出して止めた。そしてキノが飛び込んだジャンクの中心めがけてぶっ放した。

甲高く長い破裂音がして、女が反動でのけぞった。キノは最初に飛び込んだジャンクから、もう一つ隣に飛び移ろうとしていた。弾丸は、キノが最初に隠れたがらくた類を全て撃ち抜いて、一瞬前にいた空間を貫いていった。

女には、撃ったジャンクから飛び出したキノが見えていた。

「やるじゃないの」

女が猛烈な早さでボルトを操作する。ばしゃっ！　と空薬莢がはじけ飛んで、次弾が装塡された。

「徹甲弾か」

キノはつぶやきながら、左手で『森の人』を抜いて、安全装置を外した。慎重に、そして素早く、女の右側に、より遮蔽物がある方へと回り込んでいく。

キノが鉄板の下からゆっくり顔を出した時、女の金髪が光って見えた。キノは隣のジャンク、石造りの城壁の一部、に飛び移った。伏せると同時に、ばごっ！　と弾丸が石を穿つ音が聞こえた。

ばごっ！　ばごっ！　ばごっ！

女は障害物ごとキノを撃ち抜こうと、続けて三発発砲した。そのたびに石の塊が揺れる。

キノは伏せたまま、辺りに転がっている拳大の石に目をやった。

女はパースエイダーを構えたまま、新しい弾薬クリップを取り出して装填した。再び撃とうと狙いをつけた時、頭に激痛が走った。

「痛っ！」

女が顔を上げると、目の前に飛んでくる石が見えた。あわててよけたが、肩に当たる。石は続けざまに降ってきた。女はたまらず斜め前の屑鉄の山へと飛び出して、そこで身をかがめた。

左手で頭を押さえると、金髪の下から出血していた。

「くそっ！」

女は怒りのあまり不用意に顔とパースエイダーを出して、ぴたりと自分を狙っているキノを見て、焦ってすぐ引っ込めた。

キノは撃たなかった。狙いをつけたまま走り、女がいるジャンクから三つほど手前にある、建物を壊した廃材の山、イスや机や窓枠や扉、に身を隠した。

女の額から汗と、一筋の血が流れていった。それを手でぬぐい取る。

キノは大声で女に聞いた。

「聞こえますか？　やっぱり降参してくれませんか？」

「冗談！　女をなめるんじゃないわよ！」

「そのパースエイダーですと不利ですよ。こんなに近くなると」

女の返事は、

「…………」

だけだった。

キノはジャンクの中にあった鉄の扉を背にしゃがみ、ふーっと息を吐くと、左手の『森の人』を握り直した。キノの額にも汗が浮かび、頬を一つ流れていった。キノはつぶやいた。

「やっぱり殺さないで勝つのは難しいですね、師匠」

その時、女はパースエイダーから分解の手順でボルト一式を抜き取っていた。腰の後ろのクッションつきポケットから円筒形の部品を取り出して、ボルトのあったところへ入れた。それは前からあったように、パースエイダーの機関部にすっぽりと収まった。そして腿のポーチから、細長い弾倉を取り出した。女はにやにや笑っていた。

キノはジャンクの左下から、そっと前をうかがった。先ほど女が隠れた屑鉄の山を見る。一番上に積んである屑鉄を『森の人』で撃った。カン！　といい音がして、それが向こう側に、他の屑鉄を巻き込んで崩れ落ちた。

　女がパースエイダーを抱えるようにして飛び出した。抱えたまま、一発撃った。キノは、女が一発撃ったら今隠れているところから飛び出そうとしていて、先ほどまでと違うパン！　という短い発砲音と、ぱしっ！　という軽い着弾音に驚いて、あわてて止めた。

　そのあと三秒ほど、弾丸はとぎれることなく飛んできた。身をかがめるキノのすぐ脇の土が跳ねまくった。

「な、なんだ？」

　キノはジャンクの右端まで転がっていき、ゆっくりと頭を出してのぞいた。

　女が二つ向こうのジャンクに隠れるのが見えた。彼女の持つパースエイダーには、先ほどはなかった細長い弾倉が、右斜めに突き出ていた。

「あんなの初めて見た」

　キノが頭を引っ込めながらぼそっと言った。さっきまで一発撃つごとに手動で装填していたパースエイダーが、いつの間にか何十発も連射できる自動式になっていた。

　彼女が撃ったら、こちらが連射しながら近づいて、相手に装填の暇を与えずに降参させる作戦は、

「無理だな」

　キノはつぶやいた。同時に、ジャンクの右端に弾丸の嵐が襲う。屑鉄が舞い踊り、キノはジャンクの真ん中へと退避した。

女は、まだ数発残っている弾倉を外し、新しいのをはめ込んだ。パースエイダーを中腰に構えたまま、堂々と姿を現すと、キノが隠れる瓦礫の前までゆっくりと近づく。そして言った。

「よく頑張ったわね。今お姉さんが終わらしてあげるわ。もう撃たないから出ておいで。降参を認めてあげる」

「ホントですかあ？」

ジャンクの裏からキノの返事が来る。女は狙いをジャンクの右端につけたまま、注意深く反対側も睨みながら、ゆっくりと右に歩いた。

次の瞬間、女はいきなり発砲しながら、突撃するようにジャンクの裏に回り込んだ。弾丸と空薬莢と破裂音がばらまかれる。

弾丸が降り注いだ瓦礫の反対側、そこにキノの姿はなかった。代わりに扉が斜めに立っていた。弾丸のいくつかは扉に当たり、全て上に跳ね返った。

女は一瞬の判断で、キノが反対側に逃げ回ったと思い込んだ。連射を止め、振り向こうとした時、

「？」

扉の脇から人の手が出ていることに気がついた。その先にはハンド・パースエイダーが握られている。反対には人間の顔が半分斜めに突き出ていて、大きな目が一つ、彼女を見ていた。

「嘘つきぃぃぃぃ」

キノが楽しそうに言う。女は驚愕の表情を浮かべた。

乾いた破裂音が続いて、『森の人』の小さな弾丸が三発、女の右肩を貫いた。女の手からパースエイダーが落ちた。

キノは女への狙いをつけたまま、扉の裏から姿を現した。

女は一瞬ふっと笑った。それから首を振りながら、

「仕方ないから降参してあげるわ」

「ありがとうございます」

キノがそう言うと、女は頭と肩から、だらだら血を流しながら笑顔で訊ねた。

「あんたよく見ると可愛いわね。後でお姉さんといいことしない？」


キノが部屋に戻ってくると、相変わらず寝ていたエルメスが物音で起きた。

キノは重そうな紙袋を一つ抱えていた。

「お帰り、キノ。ご無事で何より。ところで何それ？　負けたけれどももらえた参加賞？」

キノは紙袋をベッドに慎重に置きながら、

「違うよ。明日必要な物さ」

「やれやれ」

キノは紙袋から、緑色の液体の入ったボトルを取り出した。『カノン』の射撃に使う液体火

薬だった。小さな紙箱を取り出した。中身は四四口径の弾丸だった。弾頭の先がとがっていない、まるで火山のカルデラのようにえぐれたホーロー・ポイント弾だ。

キノは荷物から小型のストーブを取り出すと、固形燃料をいくつか置いて火をつけた。次に普段お茶を飲む時に使うカップを洗い、液体火薬を入れて火にかけた。

「キノ、何やってるの？」

慎重に作業をしているキノが、エルメスに振り返らずに言う。

「液火を煮詰めているのさ」

「火遊び？　危ないなあ。何のために？」

キノはカップの中がどろっとしてくると、火から外して、さらに液体火薬を注ぎ足した。そしてまた火にかける。

「こうすると、液火の濃度が上がって、爆発力が強くなる。弾丸の初速が上がる」

キノはカップを軽く混ぜながら、液体火薬がほとんど水飴状態になるまで煮詰めた。そして洗面台に水を張り、カップの底を冷やす。さらに粘度と色は増して、まるで濃緑の堅い絵の具のようになった。

キノは、今度は弾丸を手に取った。ホーロー・ポイント弾は貫通力より、破壊力を重視した弾丸だ。そのため目標に当たった時に、弾頭がつぶれて広がるようになっている。中央に穴があり、縁が薄くなっている。

キノは弾丸を一つだけ取り出した。その先端の穴に、煮詰めた液体火薬を慎重に詰めていった。火口をほんのわずかだけ残して、液体火薬で穴を覆う。

キノは雷管を一つ取り出して、その穴の中心に載せた。

次にパテを取り出した。エルメスの部品が欠けたり、ねじの頭やタップ穴を復活させる時に使うパテで、固まるとかなりの硬度を持つ。

キノはパテのAとBを適量混ぜ合わせた。そして、先ほどの弾丸の、雷管を置いた先端にゆっくりと盛りつけていく。

カルデラだった弾丸の先は、きれいな円錐型、コニーデになった。そこにキノは、ナイフで十字に深い切り込みを入れた。パテはすぐに乾いた。

「できた！」

キノがお手製の弾丸をつまみ上げて、子供のように喜んだ。

エルメスは熟睡していた。


この国に入ってから三日目の朝、キノは夜明けと共に目を覚ました。

『森の人』を分解、整備して、弾丸を詰め直す。そしていつものように訓練をした。

適当に朝食を取った後、キノは部屋番をしている兵士に、歴史、ルールを含むこの国の資料を持ってきてほしいと頼んだ。

「ほらよ」

兵士が持ってきた本を、キノは細かくチェックしていった。


今から七年前のこと。

厳格な政治で慕われた前王は、その息子、つまり今の王様に暗殺された。それもかなりむごい方法で。

現王は、彼にとっては厳しいだけの父親を長年嫌っていたらしく、ある時とうとう積年の鬱憤が爆発したらしい。そして彼は、自分の行動に反対する者は全て粛正した。当時前王の血を引く者は、ほとんどが惨殺された。現王の兄妹や叔父叔母などは一家皆殺しであった。

彼は自分の妻は殺さなかったが、彼女は悲嘆にくれて自殺してしまった。二人いた子供は、国外に放り出されて行方しれずになった。殺されたという説も、未だに地下に閉じ込められているという噂もある。

そして彼は王になり、自然の恵みの豊かなこの国で、自分勝手なルールを作り出し、とても自堕落な生活を始めた。それまで勤勉で質素な生活を旨としていた国民にも、それを推奨した。

民衆も最初は抵抗があったらしい。しかしそのうちに快楽だらけの生活に慣れてしまい、やがては現王をほとんどの人が慕うようになってしまった。いいかげんなものだった。

そして今に至る。

エルメスが自然に目を覚ます頃、ほとんど真昼、キノは最後の勝負へと呼ばれた。

キノは『カノン』に空のシリンダーをはめると、一つの穴に、煮詰めきった液体火薬を詰めていった。普段の倍の量をむりやり詰めた。それから布のパッチを入れないで、直接弾丸を入れた。昨晩作った弾丸だった。

キノは四四口径の空薬莢を使い、その弾丸の縁を押してシリンダーに詰めた。

次にキノは、ちょうどシリンダーの反対側にある穴に、パッチだけを数枚詰めた。こちらはロッドで押し込んだ。

雷管は一つだけ、弾丸を詰めた穴にはめた。

「何してるのさ、キノ？　それじゃ一発しか撃てないよ」

キノは微笑んで、

「これでいいんだよ」

そう言いながら、その一発が撃てるようにシリンダーを回転させて、それから『カノン』をホルスターにしまった。

次にキノは、荷物全てをエルメスに積み込んでしっかり固定した。コートを羽織った。

「さて、行こうか。エルメスにはそばで観戦してほしいんだ」

エルメスのスタンドを外して、押しながら部屋の外に出た。

「どして？」

「終わったらすぐに、シャワーのないこの国から出るためさ」

キノは楽しそうに言った。


大歓声の中、キノはコロシアムの中央に歩いていく。その後ろ姿を、コートをかけられたエルメスがフィールドの出入り口で見ていた。その上には観客席の雛壇がある。正面の雛壇中央には、ふんぞり返って酒を飲んでいる王様が見えていた。

キノが中央に着くと、反対側から決勝戦の相手が出てきた。中央にゆっくり歩いてくる間、キノはその男をゆっくり観察していた。

二十代前半ほどの青年だった。背は高く、体つきは均整が取れている。髪はキノと同じく黒。蒼いジーンズに、肩と肘に布当てのついたグリーンのセーターを着ていた。

キノはその男と目があった。彼の表情は今までの対戦者とまったく違っていた。戦いに臨むというのにどことなく穏やかで、優しく微笑んでいるような感じさえする。死刑台に上がる殉教者のようだった。

そして武器は、腰に刀を一本差しているだけだった。ベルトに直接、鞘を差していた。

「ちょいとおじさん」

エルメスが、隣に立つ中年の兵士に声をかけた。

「なんだよ?」

「あの刀の、優しそうな兄ちゃんが決勝の相手?」

「ああそうだ。あれで今まで無傷で勝ち進んできた。見りゃ分かるけど、すげえ使い手だぜ。おめえの相棒もなかなかだけど、今度はやばいかもな」

エルメスは特に驚いた様子もなく、

「ふーん」

「ふーんって、それだけかい……。相棒の心配とかしないのか? おめえ」

兵士が思わず聞いた。

「心配? 心配してそれでキノが強くなるわけでもないよ」

「冷てえヤツだな」

「たぶん大丈夫だよ。……それより、キノは勝負の他にきっと何かよからぬことをたくらんでいるから、そっちのほうが心配かな」

「はあ?」

その時の兵士には、エルメスが何を言っているのか分からなかった。

「シズと申します」

刀男はキノに向かい合うなり、自分の名前を言った。彼の口調は丁寧で、発音もきれいだった。

「ボクはキノ」

キノが返事をする。

「キノ君か。一つ頼みがあるんだけれど」

「何でしょうか？」

シズはキノがこれまで四回言ってきた台詞を言った。

「今ここで降参してほしい。認めるから」

キノはほんの少しだけ驚いて、聞いた。

「シズさんは市民になりたいのですか？」

「ああ……。なりたいね」

「こんな腐った国の？」

今度はシズが驚いて、しばらくキノを見つめた。彼の目つきは鋭いが、睨んでいるわけではなかった。

「驚いたな。それが分かっていて、こんなふざけた試合に参加しているのかい？　しかも決勝まで勝ち進んで……。君は市民になりたい訳じゃないんだろう？」

「ええ。でもそう言うあなたこそどうなんですか？」

シズはキノから視線を外した。ほんの一瞬だけ何かを考えて、そしてキノの目を見る。彼はゆっくりと言った。

「私には、市民になって、どうしてもやらなければならないことがある……。君には降参してほしい」

「それが何かは分かりませんけれど、お断りします」

キノはきっぱりと言った。

「なぜだい？　市民になりたくないのになぜ戦う？」

シズが、まったく訳が分からないといった表情で聞く。

「答えは簡単ですよ。今ここで戦いたいんです。だからです」

キノはそう言って、軽く右腿の『カノン』を叩いた。

シズはあきらめたように首を振ると、ちらっと一瞬だけ自分が出てきた方を見た。

左手親指で音もなく鯉口を切った。右手で刀のグリップを握り、抜いた。

銀の刀身が姿を現す。シズは両手でグリップを握った。

ぷわわわわわーん。

喇叭音が響いた。

キノはゆっくりと『森の人』を抜いた。安全装置を外して、シズに狙いをつける。そして、撃たなかった。

シズは同じ場所に立っていた。刀を中段で、ほんの少し刀身を傾けて構えている。さっきまでの、どこか優しげな雰囲気はなくなっていた。刀を含めた彼全体が一つの武器のような、そんな緊張感が漂っていた。

シズが一歩、キノに近づいた。そしてもう一歩。

キノが『森の人』を一発撃った。弾丸はシズの頭の横、かなり離れたところを通過していった。シズが微動だにせずそれをやり過ごし、一歩近づく。

キノは、今度はシズの頭の横ぎりぎりを狙って撃った。シズは動じず、弾丸が耳をかすめ去った後にもう一歩近づいた。

キノは軽く息を吐くと、今度はシズの右肩を狙った。その瞬間、シズが構えている刀身がすっと動き、キノの照準と重なった。

「！」

キノは驚きつつも、引き金を絞った。弾丸はシズの刀身に当たり、跳ねて斜め後ろに飛び去った。

「凄い」

キノは素直に、他人事のように感嘆しつつ、シズの足や手を狙って数発撃った。

シズは素早く、そして自然に刀身を動かし、その弾丸全てを刀身に斜めに当ててはじいた。

そしてもう一歩近づく。

「見たかモトラド。あれがヤツの凄いところさ」

中年の兵士が、男を応援するかのようにエルメスに言った。

「はー。弾丸を刀に当てるなんて、確かに凄いや。撃つのが分かるのかな？」

「おそらく相手の狙う先と、目と指の動きを見ているんだろう。前二戦ともああやって、パースエイダー使いを倒した」

「凄いじゃん。世界は、美しいかどうかは知らないけれど、広いね」

エルメスは素直に驚いた。兵士は訳知り顔で、

「『説得に応じない相手』ってやつさ」

「詩人だね。おっちゃん」

エルメスの冷やかしに中年兵士は、照れたようにへへっと笑った。それから、

「でもな、なぜか一人も殺してないんだよな」

「はい？」

「殺してないのさ。遠慮なく怪我はさせてるけどな。そういえばお前の相棒もそうだ。撃ってるけれど殺してない。二人とも誰も殺さずに決勝まで来るなんて、前代未聞だよ。一体何考えてるんだ？」

兵士が、感心しているのか呆れているのか分からない口調で言った。

「まったく、何考えてるんだろうねえ……」

エルメスがそうつぶやいた時、さらに発砲音が数発聞こえた。

キノは八発撃って、一発もシズに当たらなかった。残り二発になった『森の人』の弾倉を落とし、十発入った新しい物を叩き入れた。

シズはキノの目の前に立っていた。

「降参、してくれないかな？」

刀を中段に構えたまま、冷静な口調でシズが言った。

「遠慮しておきます」

キノがシズの刀身に狙いをつけたまま返事をした。わざと刀身を狙っているわけではない。キノがシズのどこを狙っても、彼は刀身をそこへ動かしてしまうためだ。

キノは一発撃った。跳ね返った。

次の瞬間、シズは鋭い踏み込みで、一瞬の内に間合いを詰めた。

「せいっ！」

シズは右手一本で、猛烈な早さで左下から右上に、逆袈裟に斬り上げた。刃先が『森の人』のバレルに当たり、キノの左手からはじけ飛んだ。

振り上げられた刀のグリップに、左手がすぐさま追いつく。シズは音もなく刃を返した。そのまま今度は袈裟斬りに、キノの左肩めがけて両手で斬りおろした。

キノは『森の人』から手を離した瞬間、軽く左足を引いていた。そして頭の上で手をクロスさせながら、シズに一歩近づいた。

ガッ！

キノはクロスした両手を高く上げ、シズの峰打ちを、ほとんど根元のところで受け止めていた。そこに一瞬火花が散る。

「何っ？」

シズがそう短く言うのと同時に、キノは左腕で刀身を払いのけながら、シズの左側にすっと回り込んだ。その勢いを乗せて、右手掌底でシズのこめかみをぶん殴った。

シズはフックの衝撃と共に、体を右に倒しながら、右手一本でキノの脇腹を狙って刀を振った。それほど威力がある攻撃ではなく、キノはこれを左腕を外に振って受けた。金属音が響く。

シズは二歩下がり、すぐさま体勢をたて直した。中段に構え直す。

キノは殴った左足後ろ姿勢のまま、すっと脇を絞めて構え直した。

そして急に体の緊張を取って、しびれを取るように両腕を軽く振った。

裂けたジャケットから、金属がのぞいていた。ジャケットの両腕に、何か入っていた。

「強いね。いろいろ説得の方法を知っているんだ。驚いたよ」

シズは刀を返した。刃がキノに向いた。

「でもそろそろ、本当に降参してほしい」

シズは刀を構えたまま、微動だにせず言った。

キノは自然に両腕をおろして立ったたまま、返事をした。

「お断りします」

「私が市民になった時、君を市民に迎えるルールを足してもいい」

「遠慮しておきます。ボクは市民になりたいわけではありませんから」

「ああ、そうだったね。でもこれ以上やると、死ぬよ」

キノを睨みつけながらも、穏やかな口調でシズが言う。

反対にキノは、少しおどけた調子で、

「実はですね……。ボクは今までこの国で、一人も殺してません」

シズが顔をしかめる。

「へえ……。それで?」

「それでですね」

キノは笑顔を作って、楽しそうにこう言った。

「最後に一人くらいは、派手にぶっ殺してやろうと思ってるんですよ」

「…………」

シズは何も答えなかった。代わりに哀れんでいるような目つきでキノを見た。

キノもシズを見ていた。こちらはまるで雑踏で待ち人を見つけたような、楽しそうな、弾んだ目だった。

シズがすっと動いた。間合いを詰めて上段に振りかぶった。キノがほんの少し微笑んで、右手を『カノン』に伸ばした。そして抜いた。

次の瞬間、二人の動きが止まった。

刀を打ちおろす直前のシズに、キノが『カノン』を突きつけていた。

パースエイダーのハンマーは上がりきり、後は軽い引き金を引くだけで自分の顎に大きな穴が空くことが、シズにはよく分かった。彼はつぶやいた。

「早い……」

「あなたがパースエイダーの狙う先が分かるよりは簡単に、落ち着いて見れば斬撃がどうくるか分かるんです。後は相手より早く抜ければいい」

「…………」

「あなたには、絶対に勝たねばという気負いがありすぎるんですよ。こんなこと言っては不謹慎かもしれませんが、勝負とは楽しむためにあるんです。殺すためではなく」

キノがシズの表情をじっと見つめながら、諭すように言った。シズの顔から力が抜けた。最初にキノが見た、穏やかな顔に戻った。

シズが上段に構えたまま、

「……負けたよ。私の負けだ。どうすればいい。降参を認めてくれるのかい？　それともここで死ねばいいのかな？」

「どちらでもないですよ」

そう即答したキノの表情が急に変わったことに、シズは気がついた。キノの口元には微笑みが浮かんだが、その目つきはまったく笑っていなかった。

キノは左手で『カノン』バレル下のロッドをおろした。弾丸を押し込む時のように、手前に折った。シリンダーの一番下の穴には、フェルトのパッチが詰まっている。それを押しつぶすように、左手のロッドを手前に押しつけた。

同時に右手で、反対に押し出すように力を入れた。両手で挟み込むように力が加わって、『カノン』がピタリと安定した。

「何を……、している？」

シズがそう聞くと同時に、観客席から、おしまいだ！　そいつを殺せ！　と叫び声が飛んだ。それはやがて、大合唱につながっていった。

殺せ！　殺せ！　殺せ！　殺せ！　殺せ！　殺せ！　殺せ！　殺せ！　殺せ！　殺せ！　殺せ！　殺せ！　殺せ！　殺せ！　殺せ！　殺せ！　殺せ！　殺せ！　殺せ！

キノは表情を変えずに、シズを狙って構えたまま、少し左に動いた。シズも自然と右を向く。

「何やってるんだい……。殺す気なら……」

キノは『カノン』の狙いをシズの喉元辺りにつけると、体中に力を入れた。ちらっとシズの目を見ると、子供になぞなぞをかけるように聞いた。

「あなたの後ろには、誰がいる？」

「何？　え？　あ！　お前……、まさか……」

キノが叫んだ。

「かがめ！」

「！」

シズがすっ、と膝を折ると、キノは『カノン』の引き金を引いた。

ハンマーが雷管を叩いた。ぎりぎりまで爆発力を高められた液体火薬に着火し、その燃焼ガスが弾丸を押し出す。バレルを抜けた弾丸が、シズの腕の作る輪をくぐった。吹き出したガスは白い衝撃波となって、シズの前頭部をぶん殴った。その衝撃で、彼はもんどり打って倒れる。

そしてキノも、反動で両肩に痛みを感じながら、後ろにひっくり返った。

弾丸はキノの狙いどおり、雛壇中段にある貴賓席へと飛んでいった。それほど厚くないガラスに、パテで盛られた弾丸先端が当たり、それを貫いた。ガラスは粉々になって、滝のように流れ落ちた。

先端はその衝撃で、切り込みから四つに割れて散った。

残った弾丸はそのまま進み、中央の席に座っていた、王冠をかぶった男の口に入り、上顎に当たった。

皮を突き抜け、骨を粉砕し、肉を破壊しながら、頭の中に入っていった。

弾丸の縁はめくれるようにつぶれていった。そして衝撃が雷管に伝わる。小さな火種が生まれ、詰まっていた液体火薬に引火した。

王の頭が爆発した。

顔面は細かい肉片となって前方に飛び散った。両側頭部からは、バラバラに砕けた頭蓋骨の破片と、耳や脳を構成していた細胞の混ぜ合わせが吹き出す。髪をつけたままの後頭部の皮膚が、めくれるようにして王冠を後ろに飛ばした。

近くに座っていた人間のドレスに、血、脳のかけら、髪の毛の束などが、新しい臭いと模様を作った。

王の顎より上はきれいに何もなくなり、下顎の歯並びと舌が、誰が見てもよく分かるようになった。

衝撃で後ろにひっくり返ったシズは、流れ落ちるガラス片の向こうで王の頭が一回り大きくなるのを、逆さまに見た。次に真っ赤な球体が、貴賓席全体を一瞬包むのが見えた。後頭部と背中を、したたかに地面に打ちつけた。

そして、赤い霧が晴れた時、キノの撃った弾丸がこの国の王様をぶっ殺したことを、キノを含む誰よりも先に理解した。

「なんてことだ……」

シズはつぶやいた。頭が猛烈に痛く、めまいがした。

そして、そのまま気を失っているふりをした。


キノの発砲と共に叫ぶのを止めた観衆には、何が起こったかを理解するのに、しばらく時間が必要だった。一部の人には、貴賓席からの絶叫が聞こえ、吐きながら飛び出してくる人が見えていた。

やがて、王が死んだとの情報は、観客席を伝言ゲームのように伝わった。

その間キノは、フレームがガタガタになった『カノン』をホルスターにしまい、『森の人』を拾った。壊れていないか確かめて、これもホルスターにしまった。

観客は皆どうすればいいのか分からずに、ただざわめいていた。

キノは観客席を一巡見回すと、両手を広げ、大声で叫んだ。

「皆さん！　残念ながら王様は流れ弾でお亡くなりになった！　お悔やみを申し上げる！　そしてボクは勝負に勝った！　ボクは市民になった！　勝利者の権利であるボクの新しいルール

を言おう！　王がいなくては国がまとまらない！　したがって新しい王を決めたいと思う！　今からこの国にいるみんなで、国中で勝負をしよう！　そして、最後に勝ち残った一人が新しい王だ！　闘わない者は、国を去った時点で市民権を剥奪する！　これが新しいルールだ！」

コロシアムは一瞬、静まり返った。

一瞬だけだった。


キノはエルメスのいる、出入り口へ歩いていった。途中、倒れているシズの肩を蹴飛ばした。

「……痛いよ」

「これは失礼。ボクは出国しますので、市民になりたければご自由にどうぞ」

今やコロシアムは怒号と悲鳴に包まれていた。あちらこちらで発砲音も聞こえる。

キノがエルメスのところまで来た。

「お帰り。なんかやるとは思ってたけどね」

エルメスの脇にいた、中年の兵士がキノに向かって言った。

「あ、あんた、強ええな。ど、どうだ、俺と組まねえか？　あんたが王様になれよ。俺は大臣だ！」

キノはコートを羽織りながら、興味なさげに、

「遠慮しておきます。もう出国しますから」

「ねえおっちゃん。死にたくなければ、この国から今すぐ出た方がいいよ」

キノはエルメスのエンジンをかけた。爆音がコンクリートに反響する。

兵士が何か言おうとした。

「じゃあね、おっちゃん」

先にエルメスがそう言うと、キノはエルメスを発進させた。

そしてそこからあっという間に走り去ってしまった。


シズは観客席を一歩一歩、ゆっくりとした足取りで上っていた。その表情は、どことなく虚ろだった。

あちらこちらで乱闘、もしくは一方的な処刑が続いている。気にせずにぼんやり歩くシズに、

「兄さん腕が立つな。今俺の仲間になって戦えばいい思いをさせてやる！　どうだ？」

そう話しかけた男がいたが、シズはそちらを見ることもなく、無視した。

「おい、今のうちに殺っちまえ」

男がそう言うと、斧と鉄パイプを持った手下らしい男が、左右からシズに襲いかかった。

シズは右を向きながら、音もなく抜刀した。左肩ごしに後ろの男を突き刺し、返す刀で、正面の男の顔を縦二つに割った。

逃げる連中は無視した。シズは右手に刀を持ったまま雛壇を上がり、やがて砕け散ったガラ

スを踏んだ。

貴賓席に足を踏み入れると、プチプチと脳の破片を踏みつぶす音が聞こえた。

シズはイスに座ったままの、だいぶ背の低くなった王を見た。

だらんと力無く下がった王の舌は、まるであかんべーをしているようだった。

ほんの少しだけシズは微笑んだ。

ゆっくりと息を吐く。

そしてつぶやいた。

「お久しぶりですね」


キノとエルメスは森の中の道を走っていた。

ふいに湖に出て、キノはエルメスを止めた。

エルメスをおりて、湖畔の草の上に、キノは腰掛けた。

「きれいだね」

エルメスが穏やかな湖面を見ながら言った。そこには蒼い空と、鮮やかな緑の森が映ってい
た。キノが小石を投げた。ぽちゃんと音がして、水面に小さな波紋が広がった。そしてすぐに
消えた。

「キノ、さあ」

「なんだいエルメス」

エルメスはすぐに返事をしなかった。鳥の鳴き声が、しばらく二人を包んだ。

それからエルメスは、ゆっくりと言った。

「前に、かなり前にだけれど……、馬車に乗った若い夫婦に、会ったよね？」

「……ああ」

キノがもう一つ、石を投げた。

「確かその時、西の広い森の中に、とても素敵な国があるって。あの人達はそこに行くんだって」

「……言ってたね」

「そしてその後、どこかで奥さんに会ったよね。奥さん、一人だった」

「……ああ」

「思い出し違いでなければ、奥さんは笑顔でキノにこう言った。『とても素晴らしい国でしたわ。キノさんもぜひ訪れるべきよ』って」

「……ああ。そのとおりさ」

キノは近くにあった赤ん坊の頭ほどの石をつかむと、思い切り投げた。

どぼんという音と共に、湖面に無粋(ぶすい)な波紋(はもん)が広がり、世界はゆがんで揺れた。

キノはそれを見ていた。

しかしそれはいつまでも続かず、やがて湖面は元のとおりの、穏やかな鏡になった。

「さて」

キノはおしりをはたきながら立ち上がった。

一瞬だけ湖をのぞいた。

そこには、ぼさぼさの黒髪の、痩せた顔が映っていた。


キノがエルメスに跨ろうとした時、遥かにエンジン音が聞こえた。近づいてくる。

「シエノウスのバギーだよ。一台」

エルメスがエンジン音だけで判別した。

突然、車高の低い砂漠用バギーが一台、森の中から現れ、キノとエルメスの前で止まった。

乗っているのはシズだった。隣の座席には、毛むくじゃらの大きな白い犬が一頭座っていた。

アーモンド型の大きな瞳を持つ、笑っているような顔をした可愛い犬だ。

「やあ、キノ君」

シズが運転席から笑顔で話しかけた。

「どうも」

シズはエンジンを止めて、ゴーグルを外しながらバギーからおりた。刀は座席に残したままだった。キノの前に立って言った。

「キノ君には、もう一度会いたかったよ」

「そうですか……。市民になれなくて残念でしたね」

「いいや、いいんだ。それよりお礼が言いたい」

「お礼、ですか？」

キノは怪訝そうな顔をした。

「ああそうさ」

シズはそう言うと深々と頭を下げた。

「市民になってやりたかったことを、君がやってくれた……。父を殺してくれて、心から感謝するよ」

「ありがとう」

そしてキノを見つめながら、

「…………」

キノは何も言わず、代わりにエルメスが、

「王子様だったのか！」

と叫んだ。

「だったのさ。今はもう違う……。本当はね、優勝してメダルを授与される時、その場であの男を斬り殺してやろうと思ってたのさ……。七年間もね。キノ君のおかげで、暇ができてしまったよ」

　シズは照れるように微笑んでいた。

　キノは、静かにこう言った。

「復讐なんて……、ばかばかしいですね」

　シズは笑顔のまま、小さく頷きながら、

「ああ、ばかばかしいね」

　そして二人とも、しばらく黙った。


「これから、どうするつもりですか？」

　キノが、運転席に座るシズに聞いた。

「これから……か。適当にぶらついてみるよ、何かやりたいことが見つかるまでね。とりあえず北へ行こうかな。今まで寒いところばかりだったから。な、陸」

　そう言って助手席の犬をぽんと叩いた。陸という名前らしい。

「シズ様がそうおっしゃるのなら」

　陸が言った。その瞬間、エルメスが、

「うそー！」

　と大声を上げた。

「犬が喋った！　なんで？」

するど陸は露骨にムッとした。かなりつっけんどんな口調で、

「ああ？　犬が喋ってどこが悪い？　お前モトラドのくせにちょっと生意気だぞ」

「な？　なんだとお？」

「ふん。乗り物のくせに自分だけじゃ走ることもできないくせに。悔しかったら一人で追いついてみたらどう？」

陸が可愛い顔のまま、辛辣なセリフを浴びせかけた。

「そ、そっちだって、常に群れてないと生活できないだろうが！　おまけにいつもリーダーになりたがり症候群まで先天的に持って！　悔しかったら、かみついてみろ！　歯が立つか？」

エルメスがムキになって反撃した。

「なんだと！」

「やるか？」

「お止め、陸」「その辺でね、エルメス」

シズとキノが同時に言った。ほとんど飛びかかろうとしていた陸が、すっと座った。そして恭しくキノを見上げた。

「わたくし、シズ様の忠実なる僕、陸と申します。決勝の戦いぶりを拝見させていただきました。結果的とはいえ、シズ様が殺されなくてすんだことは、あなた様のおかげです。ありがと

うございました」

キノは照れたように微笑んだ。

「どういたしまして」

そしてシズを見て、

「可愛いですね。撫でていいですか？」

と聞いた。主人が軽く手を開いて、どうぞと合図した。

キノはしゃがむと、陸に抱きついてふさふさの毛を両手で撫でた。陸もキノの口や頬をなめる。

楽しそうにキノに抱きつく陸を見て、

「ふんっ。スケベ犬が」

エルメスが誰にも聞こえないようにつぶやいた。

キノはしばらく陸をなで回して、ふいに、座席の下に無造作に転がしてある、ある物に気がついた。

「……失礼します」

キノはそれに手を伸ばした。先ほどまで、王がかぶっていた王冠だった。

「ああ、それか……。おじいちゃんの形見だから持ってきたんだ」

シズがつぶやいた。キノは陸を最後に一撫ですると、シズに向き直りながら、

「ボクにこんなことを言う資格があるかは分かりませんが……。あなたは、王にならないのですか？」

「ならないね」

「なぜ？」

「自分の父親を殺そうなんて考えた人間には、王になる資格なんて無いのさ」

「そうでしょうか？」

キノは王冠を両手で、静かに、そして緩やかに青年の頭に置いた。青年は少し悲しそうな顔をして、キノを見上げて訊ねた。

「似合わない、だろ？」

キノはしばらく眺めて、そして何気なく言った。

「そうかもしれませんね」

キノがエルメスに跨って、エンジンをかけた。コートの前を止めて、ゴーグルをかけた。

「キノ君。なんだったら北の町まで一緒に行かないかい？　道は分かるよ」

シズがバギーの運転席から大声で聞いた。頭に王冠を載せたままだった。

「いいえ遠慮しておきます。一つ行かなければならないところがありますし、それに」

「それに？」

「知らない男の人に、ほいほいついていかないように言われてますしね」

シズが不思議そうな顔をした。陸がシズに何かつぶやいた。シズは一瞬かなり驚いて、振り向いて陸と二言三言会話を交わした。それからまたキノを見て、微笑みながらかるく首を振った。

「ああ、そうか……。分かったよ。それじゃお別れだ。またどこかで会えたらいいね、キノさん。エルメス君も」

「ええ。お元気で。陸君も」

「ありがとうございます」

陸が返事をするやいなや、エルメスがちゃかした。

「じゃあね。スケベ犬」

「またね。ポンコツ」

「ふんだ」

走り去っていくモトラドを、シズと陸は見えなくなるまで見送った。

シズはバギーをおりて湖畔に立った。ふと下をのぞくと、あの男と同じ王冠をかぶった、若い男が映っていた。

それは自分に似合っているかどうか判断するより早く、足下で陸が湖の水を飲み始めた。シズの姿は小さな波に揺られてうねった。

シズは振り向くと、バギーの向こうにうっそうと広がる森を見た。その先に、彼が生まれた国は見えなかった。そして彼は、運転席脇に置かれた刀を見た。

いつの間にか陸がシズの脇に座り、恭しく彼を見上げていた。

「私は、どうすればいいと思う。陸？」

シズがつぶやくように、おのれの僕へ訊ねた。

「わたくしがたとえ逆立ちしても、あなたを導くことはできません。シズ様」

陸がきっぱりと言い放った。

シズは穏やかな顔で、

「そうだね」

とつぶやいた。そして彼はもう一度だけ、森の向こうにあるはずの国を見た。

第五話
「大人の国」
— Natural Rights —

第五話　「大人の国」
—Natural Rights—

私がキノと名乗る旅人と出会ったのは、まだ私が生まれた国に住んでいた頃(ころ)、私が十一歳(さい)の時だ。その時私はなんて呼ばれていたのか、実はもう覚えていない。

何か花の名前で、読み方を少し変えると、とてもいやな悪口(わるくち)になっていたことだけはぼんやりと覚えている。よくそれでからかわれたから。

キノは背が高くて痩(や)せた旅人で、私の住む国に歩いてやってきた。

門番の若い兵士が、彼を町へ入れていいのかしばらく悩んでいた。たぶん上官に連絡を取って、しばらくしてから連絡があったらしい。

兵士は彼の頭に虫除(むしよ)けの白い薬を無理矢理(むりやり)かけて、町に入ることをやっと許可した。

私は彼が兵士に待たされているところから、私の目の前に歩いてくるところまでずっと見ていた。

もう日が沈む時間だったから、彼の長い影が自分の足下に来て、そして通り越していった。

彼は見たこともないブーツを履いていた。足は細くて、体も細かった。

黒いジャケットを着て、土の中から出てきたような、埃だらけの長いコートを羽織っていた。

荷物はぼろぼろの鞄が一つ。それを背負っていた。

彼は背が高かった。私もその時仲間の中では一番高かったのに、彼は少ししゃがんで言った。

「やあ、お嬢ちゃん。今日は」

彼の頬は痩けていて、短い髪はぼさぼさだった。白い薬が髪の上にまだ残っていた。

「ボクはキノって名前だ。あちこち旅をしているんだ。君は？」

私は、『キノ』って短くて呼びやすくていい名前だな、と思った。少なくともへんてこな花の名前よりはいい。私は自分の名前を言った。

「いい名前だね。ところで××××（私の名前だ）ちゃん。この街にホテルはないかな。ちょっと安くて、シャワーがあるのがいいな。もし知っていたら教えてほしいんだ。ボクは今日はかなり疲れたよ」

「うちがそうだよ」

キノがちょっと嬉しそうに笑った。その時の私の父親と母親は、安ホテルを経営していた。

私はキノを家に連れて帰った。

父親はキノを見て、はじめすごくいやな顔をした。それからすぐ笑顔になって、部屋に案内するためフロントを出た。キノは大きな荷物を抱えて、私にありがとう、と一度言って、階段を上がっていった。

私はそれから自分の部屋に戻った。部屋に大きな紙が貼ってあって、『後三日です』、と大きく赤い字で書いてあった。


次の日は、昼頃に目覚めたと思う。

父親も母親も誰も、私を起こしにこなかった。『最後の一週間』だったからだ。

部屋には『後二日です』って書いた紙が貼ってある。私は部屋の洗面台でばしゃばしゃ顔を洗った。

外で音がするので、私は庭の裏に出た。

そこは大昔に使われなくなったたくさんの機械が捨てられていて、がらくたが山になっていた場所だった。そこの近くで遊んでいると、山が夕日を隠して、辺りが早く暗くなったのをよく覚えている。

その山の前で、キノがしゃがんで何かを叩いていた。タイヤだった。

車についている太いやつじゃなくて、モトラド（注・二輪車のこと。空を飛ばない物だけを指す）の細いタイヤだった。キノの前には、一台のモトラドが倒れていた。

キノが私を見つけて言った。

「やあ、おはよう、××××ちゃん」

キノの髪の毛はくしゃくしゃだった。私は聞いた。

「何をしているの？」

「モトラドを治しているんだよ。ボクにこれを売ってくださいって頼んだら、そんなモノは昔のゴミだからいらないって言われてね。もらったんだ」

「直るの？」

「治すのさ」

キノはそう言って笑って、でもまだ時間がかかるかな、かなりぼろぼろだからね、とつけ加えた。

タイヤを叩き終わって、モトラドを斜めにして取りつけた。

それからしばらく、キノは部品を叩いたり、引っ張ったり、紐を張ったり、小さな部品を組み立てて箱を作ったりしていた。

私はしばらく見ていた。

それからおなかがすいてきて、家の中に戻って一人で何か食べた。

食事の後、私はまたキノを見に来た。

モトラドは半分『治って』いた。今度はきちんと立っていた。

「これはボクが昔一緒に旅をしていたやつに、そっくりなんだ」

キノは一度振り向いて、そう言った。棒のような物を磨いていた。

「どれくらい時間がかかるの?」

私はなんとなしに聞いた。

「そうだね、あと一日もすると、コイツも元気に動き回れるようになるだろう」

「モトラドが動き回るの?」

変な言い方をしたキノに聞いた。

「うーん。正確にはね、こいつ一人では動けないんだ。誰かが乗って、契約しなきゃいけないんだ」

「けいやくってなに?」

キノは私を見て、軽くモトラドを叩きながら言った。

「この場合は、お互いに助け合う約束をすることさ」

「どうやって助け合うの?」

「それはね、ボク一人ではモトラドみたいに速く走れない」

私は頷いた。痩せてるもんね。

「モトラドは、速く走れるけれど、誰かが跨ってバランスを取らないと転んでしまう」

「うん」

「そしてボクは、モトラドに跨れば、上手くバランスを取ることができる。ボクはバランスを、モトラドは走りを。そうすれば旅がもっと楽で楽しくなる」

「そうか、それで助け合いのけいやくなのね」

「そうさ。だからこいつが気がついたら、『それでどうですか？』って聞かなくっちゃ」

「モトラドと話せるの？」

「もちろん話せるさ」

彼はそう言って、一度ウインクした。

私は部屋に戻って、お茶をカップに入れて持ってきてキノに差し出した。おいしいと言って飲んでくれた。半分より少し少なく飲んだら、キノが聞いた。

「今のうちに、一緒にコイツの名前を決めようかな。何がいい？」

「キノの昔のおともだちはなんていうの？」

「『エルメス』さ」

「じゃあそれがいい」

「そうかい？　じゃあ、そうしよう」

そう言うと、キノは嬉しそうに笑った。そして、彼の顔を見たその時の私も、笑っていたと思う。

それからキノは、またモトラドの『治し』に戻った。それを私は後ろで見ていた。

しばらく見ていてから、私は聞いた。

「キノは何をしている人なの？」

「何って？」

キノが向こうを向いたまま、せっせと手を動かしながら言った。

「大人(おとな)なんでしょう？」

「まあ、キミよりはね」

「大人は何か仕事をしなければならないでしょう？」

キノはほんの少しだけとまどった。そんな気がする。そしてその気持ちは、今はよく分かる。

「ああ……。そうだね、本当はね」

「じゃあ、どんな仕事してるの？」

「そうだなあ、強(し)いて言うのなら、『旅』をしているかなあ」

キノはそう答えた。

「旅って、いろいろなところに行くこと？」

「ああそうさ」

「いやなことはある？」

「たまにはね。でも楽しいことの方が圧倒的に多いかな」

「それじゃあ、仕事じゃないよ」

私がそう言いきると、キノは手を休めて振り向いた。

「仕事ってつらいものなんだよ。楽しくないんだよ。でも、生きるためには絶対にしなければならないんだよ。もしも楽しいこともあるのなら、旅は仕事じゃないよ」

「そうかなあ……」

キノは首を傾げながら、つぶやくように言った。

「だから私は、明日、あさって！　あさって、手術を受けるんだよ」

「何の手術？」

「大人になるためのだよ。だから今が、『最後の一週間』なんだよ」

私がそう言うとキノは、それはいったい何のことだい？　もしよかったら教えてくれないかい、と言った。

私はキノが、『最後の一週間』を知らないことに気がついた。よく考えたら当たり前だ。キノはこの国で生まれたのではないのだから。

私は長くなるけど説明しようと思った。キノが聞いてくれると思ったからだ。

「じゃあ説明するよ」

私の国では、いや、私がその時住んでいた国では、十二歳から上は大人。それ以下は子供だった。大人とは、仕事をする人のことだった。

大人はいつも子供に言っていた。

「お前ら子供は、好き勝手に行動していればいい。それでも、いい。しかし、大人には自分勝手な行動は一切許されない。なぜなら、仕事をするからだ。仕事とは生きるために必要な、人生で最も重要なことだ。仕事である以上、たとえそれがやりたくない行動でも、間違っていると思うことでも、絶対にやらなければならない。これは大変なことだ」

そしてこう続ける。

「でも安心しろ。お前らが十二歳になったら、大人が手術をしてやる。頭を開けてその中の子供を取り出すんだ。この手術を受けると、お前達は一晩ですっかり大人になれる。そして、いやなことでも何でもきちんとできるようになっている。だから心配しなくても全員、仕事ができる立派な大人になれるんだ。そしたらお父さんもお母さんも安心するぞ」

手術を受ける子供の、十二歳の誕生日前の一週間は、『最後の一週間』と呼ばれていた。この国の人間は、誰もその子供に話しかけてはいけない。そう決まっていた。その子供が誰からも干渉されないで、子供としての最後の一週間を孤独に過ごすために。

なぜそんなことをするのかは、誰も教えてくれなかった。

つたない説明を終えた私に、キノは言った。

「なるほどね。でもずいぶんと乱暴な話だなあ」

「え？　なんで乱暴なの？　手術のおかげでどんな子供でも、ちゃんとした大人になれるんだよ」

私は聞いた。その時の私には本当に疑問だったからだ。手術でちゃんとした大人にならないのなら、将来一体何になるのだろう？　そう思った。

「ボクには『ちゃんとした大人』っていったい何なのか分からない。いやなことができるのが『ちゃんとした大人』なのかな？　いやなことを延々と続けて、それで人生楽しいんだろうか？　それも無理矢理手術でこしらえて……。ボクにはよく分からないね」

キノがそう言うと、私は聞いてみたくなった。

「さっきキノは私よりは大人って言ったよね。じゃあキノは大人なの？」

「いいや。キミの言うところの大人では、たぶん全然ないね」

「じゃあ子供？」

「いいや。キミの言うところの子供でもないと思う」

大人でもなくて子供でもない？　私は訳が分からなくなって聞いた。

「じゃあ、キノは一体何なの？」

するとキノはこう答えた。

「ボクかい？　ボクは『キノ』さ。キノって名前の男。それだけかな。そして旅をしている」

「好きなことを？」

「そうさ。ボクは旅が好きだ。だから旅をしている。もちろんそれだけじゃあ生きていけないから、途中で見つけた薬草とか、珍しい物とかを売ったりしているよ。それらを仕事と言うこともできるかもしれない。でも基本的には、旅を、好きなことを、やりたいことをしている」

「好きなことをしているの……」

私はその時、キノがとてもうらやましく思えた。

私はそれまで、子供は絶対に手術で仕事のできるちゃんとした大人になるべきだと思っていた。何かを好きと、そして嫌いと思うのは、子供だけの行動だと思っていた。

それももうすぐ終わる。

「キミの一番好きなことはなんだい？」

キノが聞いた。私はすぐさま答えた。

「歌を歌うこと！」

するとキノは微笑んで、

「ボクも歌うのは好きだ。旅の途中よく歌うんだ」

そう言ってキノは歌い出した。

テンポの速い歌で言葉も分からなかったが、それはそれはヘタだった。歌い終わってからキノが言った。

「ヘタだろう」

「うん。とっても」

　私は思いっきり肯定した。キノはくすくす笑いながら、

「ちっとも上手くならないんだけれど、歌っている間は楽しいんだ」

　私にはその気持ちがよく分かった。私も一人で歌うことがあった。その時は誰も私の歌を聞いていない。私以外は。

　私はお気に入りの歌を歌い出した。ゆっくりで、アップテンポで、なめらかな歌だった。この歌は今でもよく歌う。

　全部歌い終えると、いきなりキノが拍手した。

「上手だね！　驚いたよ。今まで聞いた中で一番の歌い手さんだ」

　私は照れながら、ありがとうと言った。

「キミは歌が好きなら、そしてこんなに上手く歌えるのなら、歌手になるのはどうだい？」

　キノがそう言って、私はキノに教えてあげた。

「私は歌手にはなれないよ」

「どうして？」

「だって、私のお父さんとお母さん、歌手じゃないもん」

「…………」

「仕事を継がせるために、大人（おとな）は子供を生むんでしょう？　昔からの決まりだよ」

その国では子供が大人になった時、親の職業を継ぐのが当たり前だった。義務だったというべきか。

キノは、

「そうか……。お国の事情ってやつだな」

そう残念そうにつぶやいて、モトラドを『治す』のに集中してしまった。

私は部屋に戻った。

その日の夜、私はベッドに入ってからいろいろと考えた。

今まで私は、手術を受けて、大人になるのが一番いいことだと思っていた。でもキノが言ったとおり、自分の好きなことをしないで、それどころかいやなことをいやだと言えないようになって、そしてそれを一生続けることが急に不自然に思えてしまった。

私は考えた。

そして、なんとなく思った。

ずっと子供のままでいたいとは思わないけれど、もし大人になるのなら、自分でそうなりたいと。無理矢理（むりやり）他（ほか）の人と同じように大人になるのではなく、速度や順番はバラバラでも、自分自身納得する方法で、自分自身納得する、納得できる大人になる。仕事だって、自分の得意な、好きな、もしくは両方のものを選びたいな、と。

次の日の朝。

起きると部屋には、『最後の日』と貼ってあった。

私は一階におりると、両親をつかまえた。向こうから話しかけるのは禁止だが、こちらから話しかけた場合はかまわない。

私は昨夜思ったことを思い出して、

「ねえ、私は大人になるための手術は受けたくないな。それ以外に大人になる方法はないの？　今の自分のままで、大人になる方法はないのかなあ？」

何気なくそう言ってしまった。

この言葉が私の運命を大きく変えた。そして……、キノの運命も。

それを聞いた瞬間、私の両親は悪夢でも見ているような表情をした。そして父親がいきなり、怒鳴った。

「バカヤロウ！　なんてことを言うんだ！　この罰当たりが！　い、今までみ、み、みんなが立派な大人になってきた手術をお前はバカにするのか！　大人をバカにするのか！　それとも大人にならないで、一生ガキのままで生きてくつもりか！」

主旋律を別の楽器が引き継ぐように、母親が鞭を打つような喋り方で続けた。

「みんなに謝りなさい！　××××（私の名前だ）！　謝りなさい！　お父さんに！　みんなに！　国の全ての大人にごめんなさいと言いなさい！　そんな愚かな考えを持って申し訳ありませんって！　今言ったことは全て間違いですって！　もう二度とそんなことは言いませんって！　今すぐに！」

今思い出すと、二人とも完全にヒステリーを起こしていた。

子供だから戯言を言っただけとは思えないほど、彼らにはそれが重要なことだったのだと思う。今までみんなが、そして何より自分達が無理矢理されたことを、抵抗ができなかったからこそ素晴らしいことと思い込む。心の平穏を保つための防衛手段だったのではなかったかと。

もっとも手術されなかった私が言えたことではないが。

「なんでいきなりそんなことを言い出す？　誰がお前に、そんな非人間的な考えを吹き込んだ？」

父親が狂ったように叫んだ。

実際その時の私は何もかもあっけにとられていて、返事のしようもなかった。大人らしく冷静に考えれば、旅人のキノだとすぐ分かったと思うけれど。

騒ぎを聞いた周りの大人が集まってきた。

「どうしました？」

「何があったんです？」

「大声を出されて」

大人達は、大人はそんなことをしてはいけないと、たしなめるように言った。しかし父親が、

「申し訳ありません！　実はウチの愚かな娘が、明日の手術を受けたくないなどと恐ろしいことを言い出しまして……」

そう言うなり、

「何？　愚かな！　それは、あんたの育て方が間違っているよ！　あんたの！」

「そうだ！　手術無しで大人になろうなんて、そんなことは道に外れてる！」

「偉大な手術を何だと思ってるんだ！　ガキとはいえ、容赦しないぞ！」

やはりどこか壊れたように叫び始めた。

「も、申し訳ありません。全てわたくし達の不徳の致すところです……」

そういって両親は周辺の空気に向かって謝ると、私を睨みつけて、

「お前がバカなことを言うから、この私が恥をかいてしまったではないか！　……あっ！　あの汚い旅人だな！　お前に愚かな考えを吹き込んだのは！」

やっと気がついた父親は、私を引っ張って、そこいらじゅうキノを捜した。

キノは玄関の外にいた。そのそばには、まるで買ったばかりのような、ぴかぴかのモトラドが立っていた。一昨日までがらくただったモトラドだ。後ろの席に、キノの大きな荷物がかく

りつけられていた。それが規則正しいエンジン音と一緒に揺れていた。後ろのタイヤは地面に触れていないで、くるくる回っていた。シートの上には、キノが町に入ってきた時に着ていた、茶色のコートがかかっていた。それは少しきれいになっていた。

父親が怒鳴った。

「おいお前！　そこの薄汚い旅野郎！」

キノがまるで当然のように無視した。すると父親は怒り狂って、何か訳の分からないことを叫んだ。犬が吠えているみたいだった。

キノは私の方を見て、小声で言った。

「手術の結果がこれかい？　やっぱり手術は受けない方がいいかもね」

そしてウインクした。私は思わず吹き出してしまった。そして頭の中が、すっと冷静になった。

「お前！　お前だっ！」

父親がキノを指さして、唾と泡を吹きながら怒鳴った。キノはやっと父親を見て、何ですか、と言った。

「何ですかじゃない！　ひざまずけ！　そして、わ……、私と、妻と、国の全ての人間に、しや、……謝罪しろ！」

「謝罪？　何についてですか？」

キノが冷静な口調で言った。そして父親は、また何か訳の分からないことを吠えた。顔を真っ赤にして体をふるわせている。私はそんな、『ちゃんとした大人』を見ていた。

実際のところその姿は、友達とつまらないことでケンカして、泣きながらわめいた時の私と、全然変わりがなかった。

父親が何かまた叫ぼうと、もしくは吠えようとした時、

「ああ、そこいらへんにしておきなさい」

誰かが父親に声をかけた。それは偉い人だった。

難しい役職名などは当時の私には分からない。とにかく、偉い人だ。いつの間にかたくさんの大人が騒ぎを取り囲んでいて、そのうちの一人だった。偉い人は、キノに話しかけた。

「旅の方、どんな国にも、どんな家にも、独自のしきたりというものがありましてな。分かりますかな？」

キノは答えた。

「ええ、分かります」

「この国にもこの国のしきたりがあります。それは貴方のどうこうできる問題ではない。違いますかな？」

偉い人が聞くと、キノは肩をすくめながら、

「ま、そうですね」

そして、軽く辺りを見回してから、

「そろそろ出発しようかと思っていました。ここにいると殺されそうなもんで」

冗談めかしてそう言った。

「出国手続きは必要ですか？」

偉い人は、そんなものはいりません、と言って、

「ここをまっすぐ行けば開いている門があります。そこから出られるとよろしいでしょう。それにしても、殺されそうとは心外ですな。貴方は正式な手続きを踏んで、入国なされました。門を出るまで、貴方の安全は保障いたします。ここは大人の国ですから」

モトラドの先に延びる通りを指さして言った。

キノは私に近づいて、少ししゃがんで、私の顔を見ながらこう言った。

「さよならだ。××××ちゃん」

「もう行っちゃうの？」

私が、後二、三日いたら？　と聞いた。もし私が手術をうけたら、その後どういうふうにキノと話すのか知りたいと思った。大人になって、キノと話をしてみたいと思った。

しかしキノは、

「一つの国には三日だけって、ボクは決めているんだ。それでだいたいどんな国か分かるし、それ以上いると、たくさんの国を回れなくなるからね。……さよならだ。元気で」

私が軽く手を振ると、キノはモトラドに跨ろうとした。そしてその時、父親が細長い包丁を持って、私の近くに来た。隣には母親がいた。キノが振り返った。

父親は偉い人を見た。偉い人が頷いた。

私は目の前の父親が、どうして外で包丁なんて持っているのか、全然分からなかった。その姿は滑稽でもあった。

キノが偉い人に聞いた。

「その人は、なぜ包丁なんか持っているんです？」

偉い人は、それまでと変わらない口調で、とんでもないことを言った。

「特別に教えてあげましょう。そこの娘を処分するためですよ」

キノの顔色が変わった。でも私には、何のことかすぐに分からなかった。キノの驚く声が聞こえた。

「何ですって？」

「処分ですよ。そこの娘は、偉大なる手術を拒否して、上位なる親に逆らったのです。そんな子供を野放しにするわけにはいきません。子供は何時如何なる時も、親の所有物です。親が子供を作ったのですから、親には失敗作を処分する当然の権利があります」

偉い人がそう言って、ようやく、私は殺されそうだということに気がついた。気がついたが、死にたくはなかったが、だからといってどうしようもなかった。視線を上げると、父親が私を

さげすむように見て、そして、

「でき損ないか……」

そうつぶやいた。

「旅の方。危ないから下がってなさい」

偉い人がそう言った瞬間に、父親が包丁を突き立てて私に突進してきた。銀色にひかる包丁の刃が見えた。ああきれいだな、と思った。

キノが横から飛び出してきて、父親を制止しようとするのが見えた。

その時の私には、何もかもが音のない世界でゆっくりと動いて見えていて、キノが父親に飛びかかるより早く、包丁が私に刺さることも分かってしまった。

ありがとう。でも間に合わないよ。

世界は静かに進んでいた。父親は、あと少しで私に刺さるはずの包丁を、体ごとくるりと左に向けた。刃先を縦から横にした。それは殴りかかってきたキノの胸に当たり、そして突き刺さった。

「がっ！」

音が戻って、キノの変な声が聞こえた。キノは父親に抱きつくような格好で寄りかかっていた。包丁の先っぽがキノの背中に出ているのが見えた。

キノが包丁ごと仰向けに倒れた。どさっという音が聞こえた。動かなくなった。そして私には、その時キノがすでに死んでいるのが分かった。

私は何も思わないまま数歩後ずさって、背中がモトラドに触れた。

しばらく静かだった。そして父親が、

「へへっ」

と笑う声が聞こえた。続けて父親はこう言った。

「ありゃー？　この人が飛び込んでくるから、ガキを刺すはずの包丁が刺さってしまいました。こういう場合、どう判断すればいいと思いますか？」

私には、父親がいい加減なことを言っているのが分かっていた。そこにいた他の大人達もそうだろう。

偉い人が言った。

「うむ。旅の人がいきなり飛び込んできたのだから、これは致し方ないだろう。お前はもともとこやつを刺そうとしたのではないのだから、これは事故だ。大変不幸な事故だ。おぬしに罪はない。違うかね、皆？」

周りの大人達は、そのようですな、とか、違いない、とか、彼の不幸を哀れんであげましょう、とか口々に言った。父親は、

「や！　やはりそうですか」

そう嬉しそうに言った。

私は、たとえもうすぐ殺されても、手術を受けないで、『ちゃんとした大人(おとな)』にならないで死ねることを嬉(うれ)しく思っていた。

目の前では、父親がキノに、いや、キノの死体に刺さった包丁(ほうちょう)を抜こうと引っ張っていた。なかなか抜けないので母親が手伝い始めた。柄(え)が血で滑るので、布を巻いて少しずつ、ずっ！ずっ！　っと引き抜いていく。

今思うと、その時間は、キノが最後に私にくれたプレゼントのような気がする。父親と母親が協力している時、耳の後ろで小さな声が聞こえた。それは年下の男の子のような声だった。

「自転車に乗ったことはあるかい？」

私は小声で答えた。

「あるよ」

今度はこう聞こえた。

「ここにいると君死ぬんだろう？」

私は答えた。

「うん。でも生き残って手術を受けるよりは死んだ方がまし。ていうか同じ」

ずっ！　ずっ！　ずっ！　ずっ！　ずっ！

包丁は半分くらい抜けた。

「ふーん。……死にたいのかい？」

その問いかけに、私は正直に、

「できることなら、死にたくなんか、ないよ」

「じゃあ、」

小さな声は言った。

「第三の選択だ」

「なにそれ？」

ずっ！　ずっ！

包丁はほとんど抜けた。私は落ち着いた気分のまま、小さな声が、急に複雑なことを言うのを聞いていた。

「まず後ろのモトラドのシートに飛び乗るんだ。ハンドルを両手でしっかり握る。そして右手の握りを手前にひねりながら、体重を前にかけるのさ。後は少し速くて重い自転車だと思えばいい」

ずぱ！

包丁がキノの死体から抜けて、父親と母親が一緒にひっくり返った。周りの大人がわあっと沸いて、それからげらげらと笑った。血が一瞬だけ噴水のように噴き出して、でもすぐにその勢いは収まった。

「そうすると、どうなるの?」

私は小さな声に向かって、大きな声で聞いた。周りの大人(おとな)が、変な顔で私を見た。父親は、血だらけの包丁(ほうちょう)を血だらけの手で握りしめ、笑顔で私を見た。その時の父親の格好(かっこう)はおぞましいものだったが、まったく怖くはなかった。私は違う。

「逃げるんだよ!」

小さな声が大きく聞こえた。私は振り向いて、モトラドのシートに跨(また)った。父親が飛びかかってくるのが少しだけ見えた。

言われたとおりに右の握りをひねって、体重を前にかけた。

モトラドが前にがこんと落ちた。同時にエンジンがぶわわっ! とうるさくなって、私の体が後ろに引っ張られた。私は落ちないようにハンドルにしがみついた。

前にいた大人が、後ろに流れていった。

そして私は、自分がモトラドで走っていることに気がついた。私はがたがた道を自転車で下る時のように、ハンドルを軽く押さえていた。平らな道なのにスピードはどんどん上がっていく。不思議な感じで、でもすぐに慣れた。

「うまいじゃん! その調子!」

声が聞こえた。

「腿(もも)でタンクをしっかり挟むんだ。そうするともっと安定するよ。そして今から言うとおりにギアを変えるんだ」

私は言われるままに動作をした。急に顔に当たる風が強くなって、目から涙が出た。目の前に門が見えてきて、大きくなっていった。びゅうっ！　と聞こえた時、門が私の頭の上を通り越していった。

門の外には、草原に茶色いまっすぐな一本道が続いていた。私は生まれて初めて、国の外に出た。

私は転ばないように、ただそれだけを考えながら走り続けた。

風で目が痛かったけれど、すぐに気にならなくなってしまった。

私はぼろぼろ泣きながら走り続けた。

どれくらい時間が経ったか分からない。

「ねえ、いくらなんでももういいんじゃない？」

いきなりそう話しかけられて、私はふっと我に返った。

「今から言うとおりにして」

言われるとおりに必死に左手でレバーを握ったり、右足を動かしたりして、だんだんとモトラドのスピードが落ちていった。そして止まりそうになって、私は足を横に出した。

自転車だと地面につま先が軽くついたらそれでよかったのに、この時は足先に重みを感じて、あれっと思った時には、そのまま体が左に傾いてしまった。

「うわあ！」

という声が聞こえた。左手で持っていたハンドルに引っ張られて、私は地面に倒れた。同時にがちゃん！　という音も聞こえた。

「非道いなあ。こんな非道いことをするのはいったい誰？」

おどけるようなその声を、私は仰向けで空を見ながら聞いた。何もない、ただ蒼いだけの空だった。

私は起き上がった。辺りを見回すと、紅い花が一面に咲き乱れる草原の中心に、私は立っていた。

そこはあまりにも広く、花を蹴散らして作られた轍の先を見ても、私の生まれた国はもう見えなかった。

「キノ……」

私はつぶやいた。包丁を胸にさして、仰向けに倒れているキノの最後の姿が、すうっと見えて、そして消えた。

不思議なことに、全然悲しくなかった。

涙も出なかった。これはさっき全部出し切ったからかもしれない。

痛くもなく、嬉しくもなかった。ただ呆然と、私は突っ立っていた。

「ちょいと！」

足下から声が聞こえた。見るとモトラドが倒れていた。

「非道いんじゃない？」

「はい？」

「もしよろしければ、今すぐに起こしてもらいたいんだけどね」

その時初めて、私はさっきからの声の主が、このモトラドだと気づいた。

「ああ、あなただったのね」

私がそう言うと、モトラドは少し怒った声で、

「ああ、って、決まってるじゃないか。他に誰がいるんだよ？」

「そうね。ごめんね」

「謝るのはいいから、起こしてほしいなあ」

モトラドは急に甘えるような声を出して、それが妙に面白かった。

私はモトラドが言うとおりにした。しゃがんでシートに胸を押しつけて、そのまま思いっきり立ち上がるようにして起こした。

いくつかの、紅い花びらが散った。

そして後ろのタイヤの近くにある出っ張りに足を載せて、モトラドを引っ張り上げるように、同時に足を踏み込んだ。モトラドが、がこんっと少し後ろに動いて、手を離しても倒れなくな

った。

「ありがと」

モトラドがお礼を言ってくれた。

「どういたしまして」

私もすぱっと返した。

「危なかったね」

モトラドがそう言って、私は何のことか一瞬分からなかった。そしてすぐに、きらきら光る包丁を思い出した。それはまるで、何年も前の記憶のように思えた。

「うん……。助けてくれて、ありがとう」

私がそう言うと、モトラドは、

「お互い様だよ。あそこに置いておかれると、何されたか。キノが乗ってきてくれて助かったよ」

それを聞いた私は、『助け合いのけいやく』という言葉を一瞬だけ思い出した。その後すぐに、自分が今なんて呼ばれたか、急に気になって聞いた。

「ねえ、今私のことなんて呼んだ?」

「ん? キノ、さ」

「なんで?」

「さっき名前を聞いた時、そう言ったよ。違うの？」

「私は、」

そして自分の名前を言おうとして、急にそれが、今の自分ではないような気がした。あの国で、何も悩まずにはしゃいでいた子供の私。十二歳になったら手術を受けて、『ちゃんとした大人』になると信じていた私。

そんな人間は、もうこの世に存在しなかった。

だから私は、紅い花を踏みつけながらモトラドに一歩近づいて、こう言った。

「私は……、キノ。キノだよ。いい名前でしょう」

「うん、気に入ったよ。ところで、ぼくの名前は？　何かあるの？」

モトラドがそう聞いて、私は昨日二人で決めた名前を思い出した。

「エルメス、だよ。エルメス。昔のキノのともだちの名前だよ」

「ふーん、エルメスか。悪くない、かな」

エルメスはそう言って、エルメス、エルメスかあ、と何度か繰り返した。気に入った様子だった。それから聞いてきた。

「で、これからどうするの？」

私達は紅い海の真ん中に立っていた。

私には答えようがなかった。

その後私達は、とりあえず近くの国に行こうとして、とんでもない森の中に迷い込んでしまった。そしてそこで偶然出会った老人に、いろいろなことを教わった。あの人に会わなければ、今の私はなかったと思う。言葉では言い尽くせないほど、本当に感謝している。

でもそれは別の話。

第六話
「平和な国」
― Mother's Love ―

第六話　「平和な国」
—Mother's Love—

荒野の一本道を、一台のモトラド（注・二輪車。空を飛ばない物だけを指す）が走っていた。右側に二つ山が見えて、左に一つ遠くに見える。木が一本も生えてない山だ。道は茶色い土地と同じ色で、ところどころに立っている道しるべの大きな缶がなければ、道なのか荒野なのかまったく見分けがつかなかった。

モトラドはでこぼこだらけのその道を、かなりのスピードで走っていた。後ろには長い土煙がもうもうと立っていた。もし運転手が振り向いても、今来たところはなんにも見えないだろう。

モトラド後部のキャリアには、旅荷物が満載されていた。鞄や寝袋などがバンドとネットで固定され、銀色のカップが一つ、ネットにぶら下がって揺れていた。

その運転手は、大地と同じ色のコートを着ていた。余った長い裾を両腿に巻いてとめている。頭には飛行帽に似た帽子をかぶっていた。前に小さな鍔と、両脇に耳を覆うたれがついていて、その先を顎で結んでいる。ところどころ剝げている銀色フレームのゴーグルをして、埃よけにバンダナを顔に巻いていた。表情は見えないが、かなり痩せた人間だった。

その運転手が、何かに気づいた。そしてゆっくりとモトラドのスピードを落とす。舞い立つ土埃が少なくなるのを確認してモトラドを止めると、道の両脇を埋め尽くすように転がっている物を見た。

「なんだい、ありゃ？」

モトラドが聞いた。

「あれは、どう見ても人間の死体だろう」

運転手が答える。

それは茶色のゴチャゴチャした何かで、一見枯れ木の集まりにも見えた。しかし、伸びた手足や、丸くちょこんとくっついている頭の形が見て取れた。五体バラバラなものも多く、手だけ何本も転がっていたり、下半身だけ並んでいたりする。それらは全て、乾燥した気候でひからび、天然のミイラとして荒野に転がっていた。大小あまりにたくさん転がっていて、地面が見えないところもある。

「そんなことは分かってるよ、キノ。なんでこんなところにこんなたくさんミイラさん達が転がっているのか聞いたんだ。不思議だ」

「ボクは知らないな、エルメス。墓場なんじゃないかな」

モトラドからキノと呼ばれた運転手は、ぶっきらぼうに答えた。

するとエルメスと呼ばれたモトラドは、ははあ分かったぞと言って、訳知り顔で話し始めた。

「墓場ならフツー埋めるだろ。きっとこれは食料庫なんだ」

「食料庫？」

「そうさ。肉を乾燥させて持ちをよくする。おなかがすいたらここに来て、持っていって食べる。もちろん今から行く国の住人がさ。キノの鞄に入っているジャンキーと同じさ」

「……ジャーキー？」

「そうそれ」

そう言ってエルメスは少しだけ黙った。

それから気を取り直して、

「そこで可哀相なキノは、捕まって食べられてしまう！　そりゃあ、誰だって、なんだって、やっぱり若くて生がいいからさ。まあ、ちょっと筋張ってるけれど、そこだけよく煮れば、キノだって食べられなくはない」

「…………」

「そして旅はここで終わり。あー、もっと走りたかった！」

エルメスがそう言いきると、しばらくしてからキノが言った
「エルメス、すごーく退屈してるだろ？」

「……うん」

「だったらもう少し我慢してくれ。次の国はもう少しのはずだから」

キノはそう言って、エルメスを発進させた。両脇の死体はしばらく続いた。

「何がもう少しだ。もう昼だ」

エルメスがぼやいた時、やっとその国の壁が見えてきた。さらにしばらく走って、高い壁に空いた穴、『ようこそヴェルデルヴァルへ』と書かれた門の前に到着した。

「ヴェルデルヴァルへよくいらっしゃいました。久しぶりのお客さんです」

そう言って、門番の兵士は笑顔で敬礼をした。

「ボクはキノ。こちらは相棒のエルメス。観光と休養で入国させてください」

そう言ってキノがパスカードを差し出した。兵士は両手で受け取って、審査機械にかけた。すぐに出てきた。両手でキノに返した。

「問題ありません。何日滞在されますか？」

キノが三日です、あさってには出発しますと答えると、もっと居てもよろしいですよと兵士が言って、書類に何か書いていった。兵士が聞いた。

「パースエイダー（注・銃器のこと）は何か持っていますか？」

「ええ」

キノはコートを脱いで、エルメスにかけた。コートの下に黒いジャケットを着ていて、襟を立ててとめていた。腰は太いベルトで締めてある。小さなポーチがいくつかついていた。

キノは右腿に吊ったホルスターから、一丁のハンド・パースエイダーを取り出して机の上に置く。さらに左手を腰の後ろに回し、もう一丁出した。兵士の双眸が大きくなった。

「これは驚きました、キノさん。貴方は凄いのをお持ちだ」

兵士は感嘆しながら二丁のパースエイダーに目をやった。

最初に出した方は、弾頭と液体火薬を別々に詰めるタイプの、単手動作式リヴォルバーで、よく見るとすぐ撃てる状態にあった。キノはこれを『カノン』と呼ぶ。もう一つは、細身の二二LR弾縁打ち薬莢式・単発自動作動パースエイダー。どちらもかなり使い込んである。汚れてはいないし、油もきちんと引いてあった。

兵士が思わず聞いた。

「ひょっとしてキノさん、パースエイダーの段位をお持ちですか？」

「四段さ。黒帯だよ」

キノではなく、エルメスがすかさず答えた。

「いやあ……、感服いたしました。有段者でしたら、これらはそのまま持ち込んでくださっても結構です。でもきっと必要ないですよ、この国は安全ですから。それはさておき、入国を心から歓迎します、キノさんとエルメスさん。ようこそいらっしゃいました。これは地図です。お使いください」

キノはありがとうございますと言って、パースエイダーをホルスターにしまい、地図を受け取った。兵士の敬礼を後にエルメスを押していくと、門ががらがらと開いた。

町に入ったとたんに人だかりに囲まれて、キノは一瞬たじろいだ。老若男女問わずキノとエルメスを見て、口々に「よく来てくれた！」、「とても歓迎だ！」などと笑顔で叫んでいた。中には楽器を演奏する者もいた。それにつられて踊り出す者もいた。

エルメスがぼそっと、キノだけに聞こえるように言った。

「ああ、やっぱり食べられるんだ。みんな腹ぺこそうだ」

その後、キノは大変な歓迎の住人に、値段があまり高くなく、エルメスを置けるスペースのある、シャワーつきのホテルはないかと聞いた。すると、南向きのあのホテルはいいじゃないかシャワーはついているぞとか、いやあそこは高くてダメだこっちが条件にかなっているなどと住人達が言い合って、しばらく待たされた。

議論に勝ったらしい一人に案内されたホテルは、歴史博物館と書かれた大変古い建物の隣で、キノの条件を全て満たしていた。キノはホテルの人に断って、コートと荷物の埃を入り口ではこばこ落とし、エルメスに地下水をぶっかけて洗った。ちょうどいいやキノ君、プラグも変えてくれよ、とエルメスが主張したが、これは無視した。

その後キノは部屋でシャワーを浴びて、下着と肌着を替えた。ホテルの食堂では見たこともない魚が出たが、大変美味(びみ)だった。


「今日来たばかりの旅の方だって？　歴史博物館へは行ったのかい？」

「歴史博物館へ行くべきよ。あそこなら半日でこの国の全(すべ)てが分かるわ」

「あそこの館長さんはとても親切さ。歴史のことをいろいろ教えてくれると思うよ」

ジャケット姿のキノと、荷物を全ておろしたエルメスは簡単に街をうろついた。そして会う人会う人に歴史博物館の見学を薦(すす)められた。何か面白いところは、と聞くと、必ず「歴史博物館だ」と言われた。

仕方なく行くことにした。

ホテルの前を通ると、従業員が歴史博物館は勉強になるよ、ぜひ行ったら？　と話しかけてきた。今から行くところですとキノが言うと、すぐさまフロントにとって返し、割引券を持ってきてくれた。


歴史博物館は、アーチをいくつも組み合わせた民族風の建物だった。入り口は大変暗いが、中は明るく、広々としていた。

キノがチケットを買って入ると、一人の女性が出迎えてくれた。白髪の老婦人だが、スリムなスタイルで、背筋もしゃんとしていた。優しくて聡明そうな人だった。彼女はよく通る声で言った。

「ようこそ我が歴史博物館へいらっしゃいました。わたしが館長です」

「今日は館長さん。ボクはキノ。こちらは相棒のエルメス」

キノが紹介すると、どうも今日は、とエルメスも言った。

しばらくキノとエルメスは、館長の案内で博物館を回った。客は他にいなかった。

館内は車椅子の人でも見学できるように、スロープが設置され、展示物の高さなどが大変考えられていた。

展示物はどれもよくできていた。キノはエルメスを押しながら見回ることが可能だった。

この荒れ地に初めて人間が住み着いた時から、町が大きくなる過程を精密な模型で再現したものや、その当時の生活道具の数々、初めて発行された新聞の現物などもあった。

説明も分かりやすく、文と音楽と映像がバランスよく使われていた。さらにキノとエルメスに分かりにくい単語は、館長が丁寧に補足してくれた。キノは熱心に眺めていった。

しばらく行くと『近代史』のコーナーにさしかかった。

そして急に展示物のトーンが変わった。

今までは人々の生活習慣や、文化遺産などの穏やかな展示が主だったが、ここから武器や防具、戦場の様子など、展示物のほとんど全てが戦争関連のものになった。

コーナー入り口の説明文は、『隣国との戦争の始まり・殺戮の歴史』で始まっていた。

「ここからは、戦争の歴史です」

表情を変えずに、館長が言った。


この国は、長年にわたり隣国と断続的に戦争状態にあった。

隣国とは宗教、生活習慣、人種、言語、その他全てが違う。お互いを敵視するのは簡単で、一旦起こってしまった戦争がそれをエスカレートさせた。

お互いの国がお互いを、いつか滅ぼしてやろうと思い続けていた。そのために何度も何度も戦争になった。

しかし、お互いに相手を壊滅させることはできなかった。

広大な荒野を挟んで戦闘を行っても、勝った方にそのまま敵国になだれ込む余力は残っていない。

そしてしばらく小康状態が続き、また思い出したように、憎い敵国めがけて進軍する。また荒野で戦闘を行い、最終的にどちらが勝ったかまったく分からないまま、国力が疲弊して戦争は終わる。

そんな状態を、この国と隣の国は、百九十二年前から続けていた。

「なるほど。ひょっとしてあの荒野のミイラさん達は戦争の犠牲者？」

エルメスが聞いた。館長が、

「いいえ違いますわ。わたし達は遺体は全て火葬にしますから。隣の国もそうです」

エルメスが、するとあれはいったい、と聞く前に、別の資料を見ながらキノが言った。

「館長さん。ここの説明文によると、ここの展示エリアはいまから十五年前でぴたりと終わっていますね。それに今のこの国は、豊かでとても安定しているように見えます。ボクも、久しぶりにこんな平和な国に来たと思っていましたから」

「ええおっしゃるとおりですわ。今のこの国は大変安定しています。人々を見ただけでそうわかるなんて、やはり旅人さんですね」

館長はそう言った。皮肉ではなかった。

「すると、今隣国との争い事はないのですか？」

「ええ、ありません。交流があるわけではないのですが、殺し合いはありません」

キノが資料から館長へ向き直る。そして聞いた。

「急に戦争が止んだ十五年前に、何があったのですか？」

　館長はグレーの瞳でキノを見つめていた。キノもしばらく館長を見つめる。

　しばらくの沈黙の後、館長が微笑みながら言った。

「それは、次のコーナーで説明していますわ、キノさん。ですけれど、今からですと閉館まであまり時間がありません。キノさん達はいつまで滞在されるのですか？」

「あさって出発です。あさってでしたらいつでも」

　キノがそう言うと、館長は、

「それでしたら明日、キノさんの質問の答えをお見せすることができます。一日いただけませんか？」

「かまいません。エルメスは？」

「いいけど、何を見学するの？」

　エルメスが聞くと、館長は答えた。

「『戦争』ですよ。隣国との」

「戦争？　戦争に参加するのはやだなあ」

　エルメスが正直に、実にいやそうに言った。

「大丈夫です。実際にはわたし達が血を流して戦うわけではありません。『戦争』と呼ばれているだけで、それはお互いが殺し合う戦争ではありません。見学なさったら、わたし達がいかにして平和を作り出して、そしてそれを維持しているか、きっとお分かりになるでしょう」

次の日の朝、キノは夜明けと共に起きた。パースエイダーの訓練と整備をした。そして食堂で朝食をとりながら、早朝から通りが騒がしいなと思っていた。

エルメスも、さっきからたくさんのホヴィー（注・＝『ホヴァー・ヴィークル』。浮遊車両のこと）がホテルの前を通っていくのを不思議に思って見ていた。

やがてキノとエルメスは、館長さんからお話は伺いました、自分が案内役ですと言う若い兵士に迎えられて、街の中央の広場に向かった。

広場には灰色のホヴィーが三ダースほど並んでいた。そのうちの半分には、オープンデッキ左右に、パースエイダー、それも弾薬がベルトで送られる、全自動連射式の物が備えつけてあった。

キノ達は『スペクテイター』と書かれたホヴィーに乗るように頼まれた。エルメスを押し上げるのが大変で、結局ホヴィーのデッキに板を渡してもらい、走って乗った。見ていた人達から拍手が起きた。

ホヴィーの列は、盛大な見送りを後にして出発した。

途中の食事休憩を挟んで、ホヴィーの一行は茶色い荒野を飛んで、国から山を四つ越えたところで停止した。

しばらく待つと、同じようなホヴィーの一団がやってきた。やはり同じように、デッキにパースエイダーを備えつけていた。

彼らはきれいにホヴィーを並べた。

彼らの軍服は、キノ達のいる国の兵士のそれとまったく違っていた。色も、デザインも、服の合わせ方も。全員がパンツではなくスカートをはいている。

「彼らはレルスミアの国防軍ですよ」

キノとエルメスに、案内役の若い兵士が説明した。

「レルスミアって、あなた方と二百年間戦争をしてきた隣国？」

エルメスが聞くと、

「ええそうです。そして今から彼らと『戦争』をするんですよ」

兵士は言った。そして、

「ご心配なく。我々は安全ですし、兵士も誰一人死にませんよ。前時代的な戦争ではないのですから」

そうつけ足した。


やがて太陽が、ほぼ一番高いところへ昇った。

すると双方のホヴィーのうち、パースエイダーを装備しているものだけが動き出し、各国一列、つまりきれいに二列に並んだ。そしてその先頭に、特別な装飾を施した一台がついた。

そのホヴィーに乗っている、司祭らしい男が口上を述べた。

「ただ今より、『第百八十五次　レルスミア・ヴェルデルヴァル戦争』を始めさせていただきます！　ルールはいつもどおりであります！」

その一台は動き出し、双方のホヴィーが、列のままそれを追う。

「私達も行きます。つかまっていてください」

兵士がキノとエルメスに言うと、列に加わっていないホヴィーは上昇して、上から列を追った。

やがて上空のホヴィーは列を追い越した。そしてしばらく飛んで、なだらかな丘を一つ越え、空中で止まった。

「あれ、あそこ見えますか？」

兵士が指さす方向に、一つの大きな集落があった。

丘を越えたオアシスのそばに、泥で作られた簡単な家がかなりたくさんあった。それらは通りを持たず、バラバラに建てられている。

動く人間が何人か見えた。彼らはシンプルな服を着て、簡単な道具を使っていた。上空のホヴィーには、まだ気がついていないようだった。

「あれは、この辺りの部族、タタタ人です。北の地表をご覧ください」

キノとエルメスが見ると、先頭の一台が猛スピードで、地表すれすれを飛んできた。

そのホヴィーは集落を真北から真南へ一気に飛び抜け、その際に大量の赤い粉を降らせていった。集落の中心に、南北の赤い線がくっきり描かれた。何人かのタタタ人が、驚いて家から飛び出してくるのが見えた。

「さあ、『戦争』の始まりです。東側が我々、西側がレルスミアの『戦場』になります」

兵士がそう言った時、列を組んで飛んできたホヴィーの群が集落に殺到した。縦一列から、きれいに散開した。そして、兵士がパースエイダーを発砲した。

甲高い連射音が響き、最初に外にいたタタタ人を撃ち抜いていった。ホヴィーは家に当たらない程度の低高度を保ち、タタタ人を見つけ次第撃っていった。

一人の若い男が家に逃げ込もうとして、その前で見つかって撃たれた。彼は真っ赤な花になって倒れた。そのまま家に向けて発砲が続けられ、家は簡単に崩れ落ちた。

ホヴィーが旋回すると、別の家から女性と子供が数人飛び出してきて、これもすぐに撃たれた。子供をかばおうとした女性は踊りながら倒れ、小さな子供の頭は、消し飛んでなくなってしまった。

別のホヴィーの横から、足の速い男が飛び出した。ホヴィーは急旋回して、その場から狙って数発発砲した。走っていた男は倒れた。倒れたところへ連射を浴び、びくびく跳ねながら体中から血を吹き出し、そして動かなくなった。

「いよし！　上手い！」

キノとエルメスの隣で兵士が拳を握って叫んだ。そして照れ笑いを浮かべ、

「あ、いやあ、今撃ったのは自分の兄貴なんですよ。昔から『戦争』が上手でした」

そう言ってから、思いついたように、

「あ、もう少し高度を下げましょうか？　その方がよく見えますよ」

キノが、

「いいえ、ここで結構です」

と断ると、兵士は、そうですね流れ弾怖いですからね、と言って視線を下へ戻した。

パースエイダーの連射音が響き続けた。

今度はオアシス近くの林の中に逃げたタタタ人が撃たれていた。林には赤い線がついていて、東側のホヴィーは東側だけ、西側は西側だけを、器用に撃ち分けていった。やがて木々は全てうち倒され、その間から赤い何かが見えた。

オアシスの池に飛び込んだ何人かは、池中の水が踊り狂うまで撃たれた。やがて池を染めながら、なんだかよく分からない物になって浮かんできた。

キノがふと見ると、タタタ人の若者がホヴィーに斧を投げつけた。それは乗っていた兵士の脚に当たった。兵士は脚を押さえながら反撃して、若者の上半身は赤い霧となって見えなくなり、ついにはなくなってしまった。しかしその兵士はイスから転げ落ちて、別の兵士がパース

エイダーのグリップを握った。

集落の外へ逃げ出そうとする人間は、一番外側で旋回しているホヴィーが狙い撃ちしていったが、数が多いため全員を撃つのは不可能だった。雨のような弾丸をくぐり抜けた何人かは、集落から必死に走って遠ざかっていく。ホヴィーはそれらを追わなかった。それよりまだ中にいる人間を撃つ方に集中した。

一台のホヴィーは集落中をゆっくりと巡回し、倒れている人間があまり血で汚れていないと、上から数発撃ち込んだ。撃たれた瞬間に、何人かは飛び跳ねた。そんな死んだふりをしていた人間には、さらに数発撃ち込まれた。

しばらくして、集落の中で動く人間はいなくなり、発砲音もそれほどしなくなった。集落の外へ走り出た者は、もう見えなくなっていた。

ちょうどその頃、太陽が拳一個分傾いた。

先ほどの先導機が、集落の上を、笛を鳴らしながら再び飛び抜けた。ホヴィーは射撃を止めると、集落の端に集合し、来た時と同じように一列に並んだ。

「時間です。『戦争』は終わりました」

兵士がそう言うと、上空にいたホヴィーが全て集落におりていった。

「彼らは『カウンター』です。これから双方の『戦場』の死体を、ホヴィーに載せていきます。そして、ホヴィーのセンサーで死体の重さを量ります。より多い方が、この『戦争』の勝利者です。我々は、先ほどの集合地で待つしきたりになっていますので、そろそろ行かなくてはなりません。よろしいですか？」

キノが頷いた。上空まで血の臭いが漂ってきたが、ホヴィーが動き出すとすぐに消えた。


ホヴィーは先ほどの集合地に戻り、『カウンター』を待った。

兵士達の表情は晴れやかだった。先ほどは相手国の兵士とは口をきかなかった彼らだが、今はホヴィーを横に並べて笑いながら話をしていた。将校同士も机に座って、何か談笑していた。

足に斧を受けた兵士が包帯を巻いて現れ、全ての兵士から拍手喝采を浴びた。照れ笑いをする彼に、将校が何かバッジを与え、さらに兵士達がはやし立てた。

やがて、『カウンター』が戻ってきた。それらのホヴィーには死体が山積みされていた。デッキからは血が流れ落ちていた。


戦争の開始を宣言した男が、ホヴィーのデッキに立って、叫んだ。

「計測の結果、十対九！　第百八十五次『戦争』勝利国、ヴェルデルヴァル！」

その瞬間にヴェルデルヴァルの兵士は沸き上がった。反対にレルスミアの兵士達は天を仰ぐ。しかしすぐに、彼らは全員で勝利国の兵士達に敬礼を送った。

やがてヴェルデルヴァルの兵士も、敬礼を返した。

お互いの帽子を振りながら、ホヴィーは帰路についた。

キノとエルメスの乗ったホヴィーの上で、兵士が興奮を隠そうとせずに言った。

「やりましたよ！　勝ちました！　キノさんエルメスさん、国に帰ったら大騒ぎですよ！　ああ、嬉しいなあ。そうだ、何か旅の物を揃えるなら、絶対に今日がいいですよ。みんなバカになって騒ぐから、もう何もかも大安売りですよ！」

「ねえ、一つ聞いていい？」

エルメスが兵士に聞いた。

「どうぞどうぞ！」

「あの『カウンター』は死体をどうするの？　まさか持って帰るわけじゃないでしょ」

「もちろん持って帰ることはしませんよ。あれは国の東方に捨て場があるんですよ。そこに適当に落っことしてくるんです」

「やっぱり？　そうじゃあないかとは思ったんだ。キノ、これでミイラさん達の謎だけは解けたよ」


次の日の朝、キノは相変わらず夜明けと同時に起きた。

街は静かだった。

昨夜、『戦勝』に沸いたこの国では、どこへ行っても大騒ぎだった。街中で酒と歓声と音楽の洪水だった。

そして兵士の言ったとおり、キノが携帯食料を買おうとすると、酔っぱらった店主のおじさんは、ただ同然まで安くしてくれた。キノは、エルメスがそれ以上積むのはムリだろと言うまで買い込んだ。そして早めにホテルに帰ってきた。ホテルには誰一人いなかった。

朝のシャワーを浴びたキノは、しばらくパースエイダーの整備と訓練をした。その後、荷物を点検して、古くなった携帯食料を朝食として食べた。

だいぶ太陽が昇った頃、キノはまだ熟睡中のエルメスを叩いた。エルメスはかなり寝ぼけていたが、キノが、歴史博物館へ行くけれど？　そう言うと目を覚ました。

エルメスのエンジン音は騒々しくて、まだ寝ている人に迷惑だろうと、キノはエルメスを押して行った。

歴史博物館の玄関前では、おそらく夜中まで騒いだらしい若い兵士が、酒瓶を抱えて寝ていた。兵士には、毛布が二枚かかっていた。

キノとエルメスがゆっくりと博物館に入ると、館長が出迎えた。

「おはよう、キノさんにエルメスさん。押してきてくださってありがとう」

「おはようございます、館長さん。一昨日見られなかったところを見に来ました。二人分お願いします」

キノがそう言うと、館長は、

「今日はお金はいりませんよ。『戦勝記念』でお休みですから」

そう言ってキノとエルメスを出口側から案内した。明かりがついていないので、薄暗い通路を歩いた。館長が、

「さあどうぞ」

と言って、明かりと展示物のスイッチを入れた。

そこは、『戦争の進化・平和との共存』と書かれたコーナーだった。館長が聞いた。

「昨日の『戦争』はごらんになりましたか？」

すぐにエルメスが、

「はい。ミイラさんの謎は解けましたよ」

館長は、そうですかと言って、そして発言を促すようにキノを見た。

「あれがあなた達の戦争ですか？　ボクにはタタタ人の虐殺か処刑にしか見えませんでしたが？」

キノは表情も、口調も普段とまったく変わらずに言った。キノは咎めていないし、怒っていないし、呆れてもいなかった。ただ聞いていた。

館長は、

「そうですね。昨日の体験だけでは、そう見えるかも知れません。でもあれが、わたし達の『戦争』なのです」

「なぜこうなったのですか？　よろしければ、説明をお願いできますか」

キノの口調はまるで、分からないところを教師に質問する生徒のようだった。

館長は最後の展示箱のスイッチを入れた。現代史となっている。

「一昨日(おととい)見られたように、この国と隣国(りんごく)の間で戦争は絶えませんでした」

館長がモニターの作動スイッチを入れた。『戦場の一分』とタイトルがついていた。

真っ黒の画面に、ゆっくりと形と色が現れる。荒野(こうや)の塹壕(ざんごう)に何人もの兵士が怯(おび)えた顔で縮こまり、長いパースエイダーを握りしめている。やがてひゅるるると音が聞こえて、兵士が伏せる。モニターから音が一瞬(いっしゅん)消えて、画面が揺れて埃(ほこり)が舞い立つ。兵士の誰(だれ)かが何かを叫んでいる。音が回復した瞬間(しゅんかん)、兵士達が一斉(いっせい)に塹壕を出て、突撃(とつげき)していく。画面もそれを追う。

走る兵士達の後ろが見える。叫ぶ兵士の声が聞こえる。ぶんっという音がして、何か黒くて速い物が飛んでくる。ひとつは地面に当たって跳ね、画面左側を走る一人の兵士の胸に当たって、彼は身長が半分になる。

「長年、飽きもせず起こる戦争で、何人もの人が死にました。今(いま)上半身を無くしたのは私の夫です」

画面が急に乱れて、音が消えて、真っ暗になって、砂嵐(すなあらし)になって消える。

モニターは止まった。

館長は、キノが自分の顔を見るまで待った。そしてゆっくりとした口調で、

「わたしは、昔の戦争をよく覚えています。昔のことをよく覚えています。わたしには四人の息子がいました。わたしのかけ替えのない宝でした。夫を失ってから、わたしは息子達を一人前の男に育てるために、生きていました」

「………」

「しかし、第百六十九次戦争が始まって、あの子達は父親の敵を討つんだと言って、次々に防衛軍に志願していきました。最初に次男のソトスが狙撃されて死にました。次の日に、三男のダトスは地雷を踏んでバラバラになってしまいました」

今まで薄暗かった展示用の壁に、大きな一枚の写真が映し出された。

そこには、若い頃の髪の長い館長と、彼女を囲む四人の息子が写っていた。どの子も素直そうに白い歯を見せて笑っていた。そして彼女も。

「長男のウトスは仲間を助けようとして前線に残り、味方の砲撃で敵兵ごと吹き飛んでしまいました。最後に残った末っ子のヨトスは、兄達の分まで頑張ると、そしてわたしにきっと生きて帰るからと言って出かけていって、二度と帰ってきませんでした。その時あの子は九歳でした」

淡々と話す館長の表情は、薄暗闇の中、光の加減で少し微笑んでいるようにも見えた。

「その時の、やはりどちらが勝ったか分からない戦争は終わりました。でもすぐに次が始まるのでしょう。わたしには、これ以上戦争を繰り返す意味が分かりませんでした。決着がつかない殺戮をどうして何度何度も繰り返すのか。わたしは、四人の息子を戦場へ送り、そしていっぺんに失って、名誉国民になりました。そしてその地位を利用し、みんなに訴えかけました。『戦争はもう止めよう』、と」

「………」

「むろんそんなことで戦争はなくなりません。そんなことで戦争がなくなるのなら、既になくなっていなければおかしいのですから。わたしは、現実的に戦争の代わりになるものはないかと考え、そして一つの提案をしました」

「それが、タタタ人の襲撃ですか？　あなたが、それを思いついたのですか？」

「そうです。『タタタ人を敵兵に見立て、より多く殺すことができた方をその戦争の勝利国とする』。そうすれば、私達人間が本来持つ競争心や、敵愾心、残忍さを上手く発散することができます。そして……、わたしがそのアイデアを発表した時、偶然にも向こうの国で、まったく同じことを思いついた女性がいました」

そう言うと館長は少し歩いて、次の展示物の前にキノを導いた。

「十五年前に私達が初めて会った時、私は彼女に写真を見せてもらいました。その中に写った彼女の子供達は、みんな可愛くて、すてきな、彼女の宝物だということが分かりました。そして全員が戦死していました」

モニターにはその時の様子を報じた新聞の写真が写っていた。今よりずっと痩せていた館長と、抱き合っている見たこともない服を着た女性。

「わたしと彼女の考えは、試験的ながら実行に移されました。それが今から十五年前のことです」

次に館長がスイッチを入れたモニターは、この国の今の風景を映し出していた。キノが見た、平和な街中と、明るい住人達。

「その時以来、二国間に戦争は一度も起きていません。国は発展し、人口も増えました。もうわたしと同じ体験を、今の若い母親達がすることは二度とないでしょう。彼女達は子供を産み、幸せに育てていく。そしていつの日か、我が子の手により埋葬(まいそう)されていくのです。生まれた人間が、生まれた順番に死んでいく。それこそが平和であり、この国の今です。キノさん、エルメスさん。これで歴史資料館のツアーは全(すで)て終わりですよ」

そうして館長は、胸の前で手を合わせ、

「ご観覧(かんらん)おつかれさま」

微笑(ほほえ)みながら言った。

「質問してもよろしいですか?」

キノが聞いた。

「ええ、どうぞ」

「殺されるタタタ人達はどうなりますか? 彼らにも生活があって、家族があると思うんですけれど？」

「ええ、そのとおりです。しかし、平和はただではありません。何かを犠牲にして、その上で平和は成り立っているのです。昔はそれが、自分の可愛い子供達でした。幼い兵士が、地獄のような戦場で戦い、死んで、国を守ってくれていたのです」

「…………」

「でも今は違います。タタタ人はわたし達に対抗できません。ですから誰も彼らとは戦わなくていいのです。わたし達の子供達はもう戦場で死ななくてよくなりました。そしてそれは、素晴らしいことなのです。もしタタタ人の犠牲を認めず、再び両国が昔の戦争を繰り返すことになれば、犠牲者の数はタタタ人のそれとはまったく比べものにならないでしょう」

館長は、一言一言かみしめるように言った。そしてもう一度繰り返した。

「平和には、犠牲が必要なのです。そしてそれは、絶対に自分の子供であってはならないのです。タタタ人が死ぬことでわたし達の平和が保たれるのなら、わたし達にとって、それはとても歓迎すべきことなのです」

キノはしばらく考えてから、感想を言った。

「館長さん、ボクには分かりません。今のあなた方が間違っているのか、それとも昔の人々が正しかったのか」

それを聞いた館長はゆっくりと微笑んだ。そして少しかがんで、キノの細い両肩に手を載せ、優しい口調でこう言った。

「そうかもしれませんね。でも、あなたがもう少し歳を取れば、今のわたしの気持ちが分かりますよ」

「そうでしょうか？」

「ええ、キノさん。あなたがあなたの子供を宿して、その子のぬくもりを自分の中に感じた時にきっと」

キノと呼ばれた少女は、何も答えなかった。


街の人間が全員いたのではと思えるほどの見送りを後にして、キノ達は出国した。太陽はまだだいぶ高い位置にあった。

キノとエルメスは広野の一本道を走っていた。両輪が巻き上げる土煙がもうもうと流れ立っている。

城壁をくぐってから、太陽が拳二つ分傾くまで、かなりのスピードで走り続けているが、景色はまったく変わらなかった。茶色い土と、遠くに見える禿げ山と、たまに視界に飛び込んでくる大きな缶だけだ。

「ん？」

キノが進行方向の遠くに何かが見えることに気がついた。そしてそれが、すぐに人の集まりだと分かった。エルメスもそれに気がついた。

「誰かいるよ」

キノはゆっくりとアクセルを戻していった。そしてキノは、彼らがタタタ人達であることが分かった。

何人かの、屈強なタタタ人の若者が道をふさいでいた。彼らは身長より長い棒や、大きな斧を持っていた。

キノは彼らの手前で、ゆっくりとエルメスを止めた。

二十人ほどのタタタ人がいて、そばには彼らが乗ってきたらしい家畜の群がいた。

キノはエルメスからおりて、スタンドをかけた。そしてコートの前のボタンを全て外して、羽織った状態にした。ゴーグルとバンダナを顔から取った。

棒を持ったタタタ人の若者が一人、キノに数歩近寄る。そして言った。

「貴方にはこれから我々の村へついてきてもらい、そこでみんなの前で八つ裂きになって死んでもらいます」

キノはタタタ人達を見た。女性や子供、老人もいた。全員がキノを睨んでいた。

「どうしてですか？」

キノが驚いた様子もなく聞いた。

「我々の復讐のためです。本当に少しだけでも、復讐心を満足させるためです」

「ボクはあの国の人間じゃないですよ」

キノは冷静に言った。すると若者は、淡々と、感情を殺した様子で、

「それは十分に分かっております。旅の方ですね。貴方が知っているかどうかは知りませんが、我々はあの国を憎んでいます。我々を何の意味もなく殺戮し、死体を手の届かないところへ放置する。我々には、愛する人を埋葬することすらできない……」

「…………」

「しかし我々は、戦っても勝てません。そこで誰でもいいから、この場合はたまたま通りかかった貴方をいたぶりながら殺して、この憤りをほんの少しだけ晴らしたいだけなのです。別に貴方が悪いのではありません。運が悪かっただけです」

若者はキノにゆっくりと近づいてきた。

エルメスが呆れた声で、

「どうするのキノ？　ここで食べられてしまうつもり？」

キノはエルメスの質問に答えなかった。その代わりに、そこにいるタタタ人全てに話すように大声で、

「あなた方のお気持ちは分かりました。でもボクはここで死にたくはありません。あなた方のことは忘れません。ではこれで失礼します」

それだけ言うと、エルメスの方へ振り向こうとした。

タタタ人の若者が近づいた。そしてキノを昏倒させようと、棒を振りかぶった。キノはすっ、と振り返った。

若者は、すこし手を伸ばせば触れる距離で彼を見上げるキノと、一瞬だけ目があった。

「ふぬあっ！」

彼は目の前の小さな頭めがけて、気合いと共に棒を打ちおろした。

キノは少し体を右にひねった。猛烈な早さで右腿の『カノン』を抜いて、そして撃った。

轟音と同時に、二人の間に液体火薬特有の白煙が一瞬にして広がり、そしてすぐに消えた。

若者は、棒を持ったそのままの姿勢で固まっていた。彼の顔が上を向いていた。

そして彼はゆっくりと後ろに倒れて、地面にぶつかって土煙を上げた。上顎から濁流のように流れ出る血は、口からあふれ、彼の胸元を真っ赤に染めて、乾いた大地に吸い込まれていった。

キノは他のタタタ人達がそこから逃げ出し始めてから、やがて視界から消えるまで、右手に『カノン』を持ったまま見ていた。

「この人どうする？　埋める？」

エルメスが聞いた。キノは、

「いいや、彼らが後で戻ってくるだろう。埋葬しにね」

そう言いながらパースエイダーをホルスターに収めた。ハンマーを少し上げて、そこにホルスターから出ている皮の先端(せんたん)を挟んだ。

キノはエルメスに跨(また)がり、ゴーグルとバンダナをはめながら言った。

「行こうか」

「そうだね」

エルメスがすかさず言った。

死体を後にして、モトラドはそこから走り出した。

土煙(つちけむり)がもうもうと立ちこめた。倒れてもう動かなくなってしまったタタタ人の若者を、覆(おお)い隠(かく)した。

そしてそれが晴れた時には、モトラドは見えなくなっていた。

エピローグ「森の中で・a」
—Lost in the Forest・a—

森の夜の中。

そこには太い木々が立ち並び、彼らの枝と葉はまるで天蓋になっていた。昼間なら鮮やかな緑の葉も、今は黒かった。

地面に広がる根のそばで、たき火に残った小さな炎が揺らめいていた。

その炎が作る薄暗闇の中、キノはコートにくるまるように体を丸めて、太い幹と根が作るなだらかな曲線に寄りかかって目を閉じていた。たき火から少し離れたところには、荷物を全ておろしたエルメスが止まっている。メッキのパーツに、小さな炎がちらちらと映っていた。

「キノ？　まだ起きてるかい？」

エルメスが小声で聞いた。

「ああ。起きてるよ」

キノはすぐに返事を返した。

エルメスは、いつもよりトーンを若干落として言った。

「モトラドは、走っている時が一番幸せだ。旅に出ると毎日走る。だから旅はとっても楽しい」

「あ、え？　なんだい、いきなり？」

キノがかなり驚いた様子で聞いた。エルメスは教師のような口調で、

「知らないのかい、キノ。三段憲法ってやつだよ」

「……三段論法？」

「そうそれ」

そう言ってエルメスは黙った。

「それが？」

キノは、エルメスが持ってきた話題に興味を示した様子で聞いた。

「いや、ちょっとギモンに思ったんだけれど。そうすると人間は、どうして旅をしているのかなって」

エルメスが、珍しく真面目な口調でそう言うと、

「人間がかい？　それとも、ボクがかい？」

キノが真面目な口調で聞き返した。

「まずは、人間から」

キノはそうだね、とつぶやいてから、

「今まで行ったことのないところへ行きたい。見たことのない物を見たい。食べたことのない物を食べたい。会ったことのない人と話がしたい。……そんなところかな。単純だろ」

「うん。これはそんな難しくないね」

エルメスが納得したように言った。

「そう。実際にはもっと複雑なのかもしれないけれど、簡単に言うことはできるね」

「じゃあ、キノは？　キノは、どうして旅を続けてるの？　そりゃあ、帰るところがもう無いのは分かるよ。でも何度も非道い目にあったり、殺されそうになったり、道中辛いこともたくさんあったと思う……。キノは、一つのところに落ち着こうとは思わない？　キノほどのパースエイダーの腕なら、どこでも雇ってくれるよ。お師匠さんのところで生活するって方法もあった」

エルメスが一気にそう言うと、キノは静かな口調で、

「そうだね。そのへんは、エルメスの言うとおりだと思う」

エルメスは少し間を置いた。そしてキノがそれ以上喋らないので、聞いた。

「じゃあ、それでもキノが旅を続ける理由は？」

キノはその質問に答えず、細い体を起こした。左手に『森の人』を握ったまま、右手でたき火に土をかけた。

わずかに残っていた炎(ほのお)は、消えた。

「キノの旅　―the Beautiful World―」完

あとがき
—Preface—

私は、本文より先に、あとがきを読む人です。読まずにいられない人、というのが正しい表現かもしれません。本屋で、その本を買うか買わないか悩む時なんかは、あとがきを読んで決めることが多々あります。

でもそのために、あとがきの中に、本文の肝心なネタや、重要なトリックについて書いてあったりすると、困ります。何度も困ったことがあります。

だから、「もし自分であとがきを書くようなことがあれば、絶対に本文のネタばらしは含まないようにしよう」

そんな決意を心に秘め、今まで二十数年間、私は生きてきました。

したがってこのあとがきは、ネタばらしが一切ない、本文未読の方に優しい構成となっています。すっぱり二ページで終わる心地よい短さが、小脇に重い鞄を抱えた立ち読み中の貴方にはステキですね。安心してお読みください。

そんな訳で、『キノの旅　—the Beautiful World—』です。

本作は、第六回電撃ゲーム小説大賞にて最終選考候補作に選ばれました。残念ながら受賞は逃しましたが、『電撃hp』に一挙掲載させていただき、こうして電撃文庫の仲間入りとあいなりました。なお、『電撃hp』掲載時より話（第二話）が足され、黒星紅白さんの素敵なイラストも増えました。そのため既読の方にも、なんともお買い得な仕様になっています。

本作は連作短編形式で、だから各話で完結しています。そのためどこからお読みになっても結構ですが、初回は話数通りに読むのをおすすめします。二度目以降からは、貴方のお好きな順番でお楽しみくださると、また違った味があるのではと勝手に思っています。

簡単にどういう話かご説明しますと、主人公のキノが、相棒のエルメスと旅をします。あちらこちらの国を、見て回ります。……以上です。

なんだそりゃおい全然説明になっていないぞと貴方は思われるかもしれませんが、本文を読み終えた時、なんとなく分かってくれるような気がします。そんな話です。

それでは、ごゆるりと本編をお楽しみください。

二〇〇〇年　春

時雨沢恵一

追伸　その前にレジに行かれると、より快適な状況でお読みいただけます。

本書は、「電撃ｈｐ」６号（メディアワークス刊）に掲載されたものに、加筆・修正したものです。

本書に対するご意見、ご感想をお寄せください。

■

あて先

〒101-8305 東京都千代田区神田駿河台1-8 東京YWCA会館
メディアワークス電撃文庫編集部
「時雨沢恵一先生」係
「黒星紅白先生」係

■

電撃文庫

キノの旅（たび）

the Beautiful World

時雨沢恵一（しぐさわけいいち）

発行
二〇〇〇年七月二十五日　初版発行
二〇〇八年一月　十　日　五十五版発行

発行者　久木敏行
発行所　株式会社メディアワークス
〒一〇一-八三〇五 東京都千代田区神田駿河台一-八
東京YWCA会館
電話〇三-五二八一-五二〇七（編集）
発売元　株式会社角川グループパブリッシング
〒一〇二-八一七七 東京都千代田区富士見二-十三-三
電話〇三-三二三八-八六〇五（営業）
装丁者　荻窪裕司（META＋MANIERA）
印刷・製本　旭印刷株式会社
落丁・乱丁本はお取り替えいたします。
定価はカバーに表示してあります。

ISBN4-8402-1585-5 C0193

電撃文庫創刊に際して

文庫は、我が国にとどまらず、世界の書籍の流れのなかで〝小さな巨人〟としての地位を築いてきた。古今東西の名著を、廉価で手に入りやすい形で提供してきたからこそ、人は文庫を自分の師として、また青春の想い出として、語りついできたのである。

その源を、文化的にはドイツのレクラム文庫に求めるにせよ、規模の上でイギリスのペンギンブックスに求めるにせよ、いま文庫は知識人の層の多様化に従って、ますますその意義を大きくしていると言ってよい。

文庫出版の意味するものは、激動の現代のみならず将来にわたって、大きくなることはあっても、小さくなることはないだろう。

「電撃文庫」は、そのように多様化した対象に応え、歴史に耐えうる作品を収録するのはもちろん、新しい世紀を迎えるにあたって、既成の枠をこえる新鮮で強烈なアイ・オープナーたりたい。

その特異さ故に、この存在は、かつて文庫がはじめて出版世界に登場したときと、同じ戸惑いを読書人に与えるかもしれない。

しかし、〈Changing Time, Changing Publishing〉時代は変わって、出版も変わる。時を重ねるなかで、精神の糧として、心の一隅を占めるものとして、次なる文化の担い手の若者たちに確かな評価を得られると信じて、ここに「電撃文庫」を出版する。

1993年6月10日
角川歴彦

電撃文庫

新フォーチュン・クエスト⑥ 待っていたクエスト エピソード1

深沢美潮
イラスト／迎　夏生

ISBN4－8402－1587－1

シルバーリーブに戻ってきたパステルたちは、貧乏生活から脱出!! キストン国から謝礼として百万Gが届いたのだ。でも、こんな大金なんに使えばいいの!?

ふ-1-18　0466

新フォーチュン・クエストL① トラップハウスからの挑戦状

深沢美潮
イラスト／迎夏生

ISBN4－07－306673－0

盗賊のトラップが、運命をかけた大勝負に挑む!! パステルたち6人と1匹のパーティが、スペシャルクエストに挑戦する『L(リミテッド)』シリーズ第1弾！

ふ-1-6　0186

デュアン・サーク① 魔女の森〈上〉

深沢美潮
イラスト／おときたたかお

ISBN4－8402－0510－8

深沢美潮、待望の新シリーズが登場！ かけ出しファイターの少年デュアン。迷子になった森の中で2人の冒険者に巡り会い、憧れのクエストに初挑戦!!

ふ-1-4　0133

デュアン・サーク② 魔女の森〈下〉

深沢美潮
イラスト／おときたたかお

ISBN4－8402－0523－X

ひよっこ冒険者デュアンは、2人の仲間――オルバとアニエスと共に、魔女の館へ……。そこで彼らを待ち受けるのは!? デュアンの初めての冒険譚、待望の下巻。

ふ-1-5　0135

デュアン・サーク③ 双頭の魔術師〈上〉

深沢美潮
イラスト／おときたたかお

ISBN4－8402－0709－7

ドラゴンの宝を目指して、船旅に出発！ しかし、あやしい魔術師との出逢いが、運命を変えた……？ 少年デュアンの冒険譚パート2、いよいよスタート！

ふ-1-7　0205

電撃文庫

デュアン・サーク④ 双頭の魔術師〈下〉

深沢美潮
イラスト／おときたたかお

ISBN4－8402－0949－9

双頭の魔術師と共に旅をしてきたデュアンとオルバは、ついにルカ島に到着。果たしてデュアンたちは、無事ドラゴンと出遭い、お宝をゲットできるのか!?

ふ-1-12 0280

デュアン・サーク⑤ 銀ねず城の黒騎士団〈上〉

深沢美潮
イラスト／おときたたかお

ISBN4－8402－1285－6

黒騎士団に捕らわれたデュアンとオルバ。身に覚えのない大罪をきせられて……。初心者ファイター・デュアンの冒険譚、待望のパート3は陰謀渦巻く宮廷物語！

ふ-1-16 0372

デュアン・サーク⑥ 銀ねず城の黒騎士団〈下〉

深沢美潮
イラスト／おときたたかお

ISBN4－8402－1479－4

デュアンとオルバは、無事に地下牢から脱出。でも銀ねず城内は黒騎士と赤騎士が大乱闘！　魔王の仕業か!?　デュアンは魔王封印の謎解明に乗り出すが……。

ふ-1-17 0430

新フォーチュン・クエスト　リプレイ① 霧の谷のキノコ

深沢美潮・はせがわみやび
イラスト／迎　夏生・美鈴　秋

ISBN4－8402－0594－9

パステルたち6人パーティの新しい冒険がスタート！「霧の谷のキノコ」ほか計3つのクエストに挑戦したフォーチュン初のRPGリプレイ、待望の登場!!

ふ-1-8 0160

新フォーチュン・クエスト　リプレイ② 鐘の音の響くとき

深沢美潮・はせがわみやび
イラスト／迎　夏生・美鈴　秋

ISBN4－8402－0751－8

リプレイに初登場するシロちゃんが大活躍する「ひとさわがせな宝物」ほか2本を収録。フォーチュン・クエストのRPGリプレイ待望の第2巻がついに登場！

ふ-1-9 0221

電撃文庫

ダブルブリッド
中村恵里加
イラスト／藤倉和音

ISBN4－8402－1417－4

特異遺伝因子保持生物―通称"怪（あやかし）"。その宿命を背負う少女、片倉優樹が青年・山崎太一朗と出会ったとき―。第6回電撃ゲーム小説大賞〈金賞〉受賞作、登場！

な-7-1　0423

ダブルブリッドⅡ
中村恵里加
イラスト／藤倉和音

ISBN4－8402－1490－5

あの事件の2週間後、片倉優樹の前に現れたのは、塊太利からやってきたひとりのアヤカシだった……。第6回電撃ゲーム小説大賞〈金賞〉受賞作の続編、登場!!

な-7-2　0436

ダブルブリッドⅢ
中村恵里加
イラスト／たけひと

ISBN4－8402－1586－3

大陸からやってきた大戦期の人型兵器、哪吒。その哪吒と、片倉優樹の運命が交錯したとき、その悲劇は起こった――。人気沸騰のシリーズ第3弾、登場！

な-7-3　0462

リングテイル　勝ち戦の君
円山夢久
イラスト／山村 路

ISBN4－8402－1418－2

伝説の騎士〈勝ち戦の君〉の正体とは…!?そして憧れの魔道師長と共に行軍し成長していく魔道師見習いマーニの運命は!?第6回電撃ゲーム小説大賞〈大賞〉受賞作。

ま-5-1　0424

若草野球部狂想曲　サブマリンガール
一色銀河
イラスト／美鈴 秋

ISBN4－8402－1413－1

第6回電撃ゲーム小説大賞〈銀賞〉受賞！電撃文庫初の本格（？）スポコン・ラブコメ小説。甲子園優勝校に挑むのは、気の弱い女の子ピッチャーだった!?

い-2-1　0422